CALINCKA CRATEÚS

A MENINA DOS OLHOS DE CANOA

RELATOS SOBRE BULLYING E SUPERAÇÃO

EDITORA
Labrador

Copyright © 2021 de Calincka Crateús
Todos os direitos desta edição reservados à Editora Labrador.

Coordenação editorial
Pamela Oliveira

Preparação de texto
Laila Guilherme

Assistência editorial
Larissa Robbi Ribeiro

Revisão
Iracy Borges

Projeto gráfico, diagramação e capa
Amanda Chagas

Imagem de capa
Sou Petrus

Dados Internacionais de Catalogação na Publicação (CIP)
Jéssica de Oliveira Molinari - CRB-8/9852

Crateús, Calincka
   A menina dos olhos de canoa : relatos sobre bullying e superação / Calincka Crateús. — São Paulo : Labrador, 2021.
   144 p.

ISBN 978-65-5625-156-1

1. Crateús, Calincka - Memória autobiográfica 2. Assédio - Depoimentos I. Título

21-2618   CDD 920.72

Índice para catálogo sistemático:
1. Memória autobiográfica

EDITORA
Labrador

Editora Labrador
Diretor editorial: Daniel Pinsky
Rua Dr. José Elias, 520 — Alto da Lapa
05083-030 — São Paulo — SP
+55 (11) 3641-7446
contato@editoralabrador.com.br
www.editoralabrador.com.br
facebook.com/editoralabrador
instagram.com/editoralabrador

A reprodução de qualquer parte desta obra é ilegal e configura uma apropriação indevida dos direitos intelectuais e patrimoniais da autora. A editora não é responsável pelo conteúdo deste livro. A editora não é responsável pelo conteúdo deste livro. A autora conhece os fatos narrados, pelos quais é responsável, assim como se responsabiliza pelos juízos emitidos.

Para Ivone e João Bosco.

Obrigada por não desistirem de mim quando eu já tinha desistido.
Eu amo vocês, mais do que consigo expressar.

Há um momento em que todos os obstáculos são derrubados, todos os conflitos se apartam e à pessoa ocorrem coisas que não tinha sonhado, e então não há na vida nada melhor que escrever. Isso é o que eu chamaria de inspiração.

Gabriel García Márquez

Nota da autora

Eu nunca imaginei que escreveria um livro. Também não esperava falar sobre a minha vida ou pelo menos um pouco dela. Foi mais difícil do que imaginei. Em alguns capítulos, eu quis desistir porque as lembranças eram presentes, fortes e vívidas. Escrevi páginas com os olhos marejados, mas sabia que conseguiria. Durante a realização deste livro, eu senti tudo: dor, amor, saudade, desapego, culpa, arrependimentos, alegria, orgulho, egoísmo e liberdade. Eu me libertei do passado, e foi do modo mais lindo e delicado: escrevendo.

    O tema do livro não foi sugerido nem escolhido. Ele me escolheu com o propósito de me dar uma segunda chance para me perdoar, entender que o que aconteceu no passado não foi nem era minha culpa. Me deu o propósito de ajudar aqueles que foram ignorados, que pediram socorro no próprio silêncio. Escrevo este livro sabendo que a minha história pode ser diferente da sua em alguns detalhes, mas elas são semelhantes pelas marcas e pelas vozes que deixaram em nossa alma. Devemos ficar e lutar para que as próximas gerações desconheçam a prática ou a cultura do *bullying*, que, quando não danifica, acaba matando.

    Os versos das músicas e os trechos de livros apresentados nos capítulos me acompanharam durante a adolescência e o início da vida adulta. Algumas músicas possuem o poder de me fazer rodopiar entre palavras e frases, outras são os fios condutores para a minha melancolia e eu jamais poderia escrever sem escutar alguns cantores e bandas. Há nomes fictícios para alguns entrevistados, que escolheram como gostariam de ser denominados. Talvez eu tenha realizado o sonho de alguém — todo mundo já pensou em mudar de nome pelo menos uma vez na vida — e eu nunca esquecerei o brilho nos olhos que parecia felicidade, mas era pesar por compartilhar algo pessoal que às vezes mantemos escondido.

Optei por não descrever os personagens, tampouco colocar características ou rotular. Alguns deles não possuem gênero, porque pouco me importa se são meninas ou meninos. O importante é a partilha de suas histórias. Disponibilizei-me a escutar os personagens que ainda, depois de anos, precisavam ser escutados, compreendidos, e a mostrar à sociedade que o *bullying* não pode ser naturalizado, como o hábito de tomar café pela manhã ou sair com o cachorro para passear. Ao permitir que a minha mente relembrasse os momentos em que sofri agressões verbais e físicas, percebi que poderiam existir outras pessoas que lutam para não se tornarem reclusas do próprio passado ou do silêncio. Ao trocar ideias e reflexões com as fontes, observei que é preciso apenas escutar para que algo se transforme dentro de nós e ao nosso redor.

Prefácio

As relações humanas são sempre emaranhadas de sentidos. Mais ou menos luminosos, mais ou menos espinhosos, por vezes mais afáveis, noutras mais sombrias. Sempre uma miscelânea de experiências, encontros, achados e perdas.

A menina dos olhos de canoa — Relatos sobre bullying *e superação*, da minha querida amiga Calincka, é mais que uma sucessão de ideias e experiências esculpidas em palavras cuidadosamente escolhidas; é um registro, um testemunho de uma jornada de autodescoberta. É a um só tempo várias coisas, é uma mensagem, um desabafo, um abraço, mas é sobretudo um sorriso, daquele tipo que guardamos para dolorosas e esperadas vitórias. Não é propriamente um livro sobre a experiência do *bullying*, é muito mais que isso: é um livro sobre todas as coisas que podem existir para além dele.

Calincka nos presenteia com uma história não linear, com uma narrativa cheia de verdades, de emoções, que é capaz de se conectar com nossa experiência pessoal, quando vamos conhecendo quem foi e quem é a menina dos olhos de canoa. A narrativa é sutil, repleta de nuances e cheia de possibilidades. Assim como tantas outras pessoas pelo mundo, a menina da narrativa foi tragada para dentro de relações adoecidas e, em razão disso, adoeceu a si mesma, aprendeu a se perceber pelos olhos dos outros, daqueles que não lhe tinham amor. Aprendeu a desgostar de si mesma, praticou o menosprezo. Mas, um pouco depois, descobriu outras leituras, viveu outras histórias, construiu novos caminhos e partilhou conosco esta bela história.

Um livro que precisa ser lido.

Uma história que precisa ser contada.

Uma vida que merece a celebração: a vida de Calincka.

Phablo Freire
Doutorando em Direito pela Universidade Católica de Pernambuco (Unicap), bolsista Prosuc/Capes. Mestre em Psicologia

Social pelo Programa de Pós-Graduação em Psicologia da Universidade Federal do Vale do São Francisco (Univasf). Autor dos livros *Laicidade ficta, democracia urgente* e *Ética, laicidade e alteridade: desafios contemporâneos para os direitos humanos*.

Prólogo

Eu não acreditava que tinha chegado a esse ponto. O plano de saúde que eu possuía não era aceito por aquela clínica. Isso era maravilhoso! Agora, eu poderia jogar a desculpa de que não queria usar hospital público. Eu realmente não entendia o porquê de tanto alarde.

Eu não queria conversar com um psicólogo. Eu não tinha nada para dizer. Eu não queria que ele me julgasse utilizando os nomes das doenças psicossociais que aprendeu com apostilas apresentadas na faculdade. "Hum, ela tem depressão." NOSSA! Olha, que esperto! Parabéns, agora eu faço parte da sua coleção de "pessoas depressivas". Estava odiando as consultas com o psicólogo e sabotava as respostas. "Estou bem. Nada de interessante aconteceu na minha vida. Só perdi a barca que me leva para a faculdade." E lá estava ele com seus cabelos grisalhos, barba por fazer e óculos de grau que pareciam ser utilizados para enxergar as minhas mentiras, anotando algo em seu bloco de notas e balançando a cabeça como se estivesse concordando com a minha indiferença.

Aquela sala era patética. Toda branca, com uma cadeira reclinável para o paciente, uma mesa velha e cinza era utilizada para anotações (O que ele anotava tanto? Ele desenhava?), e perto da porta havia um tapete colorido com diversos brinquedos. Agora as pessoas acham importante cuidar da mente de uma criança, não é? Que bom! Porque eu precisei de ajuda na infância, mas tive que me virar sozinha.

Vou repetir: eu não queria conversar com um psicólogo. Era insuportável ter que falar sobre o assunto ou contar que tinha ido ao supermercado comprar absorventes, porque eu era uma mulher que menstruava. Mas, para me livrar das consultas, eu teria que fingir que estava bem. Tinha que esconder os soluços na madrugada, pois revelariam que a minha mente e a minha alma precisavam percorrer uma longa estrada até a superação. Eu teria que ser uma boa atriz. E fui, por um ano, até tentar novamente.

1
SILÊNCIOS

CAPÍTULO 1
A criação do silêncio

> "A ausência é um estar em mim.
> E sinto-a, branca, tão pegada, aconchegada nos meus braços,
> que rio e danço e invento exclamações alegres,
> porque a ausência, essa ausência assimilada,
> ninguém a rouba mais de mim."
>
> **Carlos Drummond de Andrade**

Eu havia marcado de ir à casa da minha tia uma semana atrás e acabei não indo no dia combinado. Estava sendo uma semana com muitos obstáculos. Havia toda a atmosfera da campanha eleitoral de 2016 para prefeitos e vereadores à minha volta e ali estava uma estagiária da Prefeitura de Petrolina/PE, insatisfeita com a política em sua totalidade e tendo que conviver com ela.

Depois de algumas horas entediantes e muita paciência, o relógio me avisava que deveria guardar os pertences e pegar o transporte público com destino à casa da minha avó. Cheguei mentalmente o que faria: desenterrar histórias empoeiradas, guardadas, como se fossem um veneno, na vasta e sábia mente da minha avó. Eu esperava que não doesse tanto para ela, mas eu já a achava forte só por concordar com a minha proposta. O que eu não sabia era que a minha sensibilidade me trairia. Eu iria sentir. Senti cada palavra dita e os silêncios achados entre elas.

Fui recebida com o cheiro de comida caseira e questionada se gostaria de comer naquele instante. Aquele lugar era o porto seguro da minha infância — destino oficial, quando eu queria chorar, comer bolo de leite ou fugir de casa — e continuará sendo. As amplas portas de vidro; janelas estratégicas para que o vento possa circular, brincando com nossos cabelos; cores alegres marcando as paredes; mobília moderna e elegante, que ostenta a serenidade de seus moradores.

Tentei fingir que era uma jornalista com muita experiência, como se já tivesse entrevistado a presidente Dilma Rousseff sobre o golpe de Estado recente que o país havia sofrido. Estava passando a imagem de "Eu sei o que estou fazendo, vó". Peguei o gravador, que era um celular, na verdade, e tentei acalmar os meus nervos e me concentrar para não perder o foco e o objetivo da entrevista. A minha voz interna começou a questionar minha qualidade como estudante de Comunicação. *Calma, Calincka, são só a sua avó e a sua tia. Como você entrevistaria a Dilma Rousseff assim? Acalme-se.* Olhei para elas e expliquei mais uma vez o que queria saber. Só para constar: uma jornalista experiente não deveria ficar tão nervosa ao entrevistar sua própria avó, mas, no final da gravação, percebi que o meu medo estava no fato de não passar a imagem de uma profissional. Mas eu era e estava sendo.

— Quer dizer que é só para falar isso?

Minha avó perguntou com os olhos astutos e marcados por seus oitenta e sete anos. Ela ainda não sabia onde se metera. Será que eu passei a imagem errada? Ela iria entender alguns minutos depois. Arrumou sua postura na cadeira, tínhamos nos deslocado para um quarto, e ela fez uma expressão séria para contar como conheceu o meu avô.

— Eu tinha vinte e dois anos quando conheci seu avô. Ele tinha uma venda. Eu ia comprar linha para bordar. E ali começou. Ele atendeu muito bem, o irmão dele trabalhava muito bem, mas eu olhei assim... E não me entusiasmei nem nada. Ele era sério, fechado e não deu nenhum sorriso. E a gente, eu e minha irmã, fez a mesma coisa.

Questionei quanto tempo durou até se casarem, e, para minha surpresa, o meu avô fez apenas três visitas à casa da minha avó. O suficiente para se casarem, acredite.

— O namoro era assim, Calincka — interveio uma tia sábia. — Não era de muito rapapé, não.

Eu não sabia o significado de "rapapé", mas tinha certeza de que não era algo que fazia os relacionamentos ficarem apenas no namoro. Sinceramente. Fiz o dever de casa e descobri no dicionário *Aurélio* o verbete "*rapapé*: s.m. 1 [pop.] Cumprimento que se faz, arrastando o pé para trás; mesura exagerada; cortesia afetada".

Em 1951, os dois se casaram e assumiram o sobrenome Crateús, que assusta alguns quando soletro ou estou procurando por meu nome em listas de aprovação. Não há uma magnífica história por trás, e isso só me deu mais vontade de criar a minha versão para o sobrenome. E foi o que fiz quando adolescente.

Deitada em uma rede, a minha tia se dispôs a contar a verdadeira história do nosso sobrenome.

— O meu bisavô era morador de Crateús, cidade do Ceará. Não era registrado, como muitos que nasceram no início do século XX. O Estado da Paraíba estava loteando e doando terrenos para algumas pessoas plantarem algodão. Por ser descendente de índios, não possuía sobrenome, e para adquirir as terras loteadas era preciso um registro civil. O meu bisavô foi ao cartório para ser registrado e contou a sua condição. Como solução, colocou o nome da cidade Crateús como sobrenome.

Essa é a verdadeira versão, até que provem o contrário para a minha família. Confesso que fiquei decepcionada ao ouvir essa história pela primeira vez, na adolescência, e passei dias elaborando uma história mais fantasiosa para o nosso sobrenome.

Para me informar sobre os registros civis, no Brasil, nas décadas de 1920 e 1930, eu levaria dias ou semanas pesquisando na famosa enciclopédia *Barsa*, mas temos o Google e descobri que, em 6 de novembro de 1926, o Decreto n. 5.053 aprovou os serviços de Registros Públicos no país e, em 18 de fevereiro de 1931, com o Decreto n. 19.710, ficou assegurada a obrigação do registro de nascimento sem multas e sem justificação para o registro tardio.

―――――

Após um ano, tentei novamente aniquilar a minha vida. Mas não consegui. Ficava ainda mais triste quando lembrava que voltaria para aquela sala nada convidativa. Não acreditava que ali se resolveriam as minhas angústias, meus transtornos e medos. Eu estava resistente e continuaria assim, mas o psicólogo, Paulo Santos, me questionou o motivo de não querer conversar sobre o assunto. Eu não queria explicar que estava acostumada a me silenciar. Fui pega de surpresa quando ele, mais uma vez, insistiu:

— Você quer ficar bem?

Eu não sabia. Quando entrei na sala, munida de desdém por meus pais me obrigarem a ter um acompanhamento psicológico, concentrei-me em não facilitar para o profissional diante de mim, mas sentia que estar naquele ambiente era o certo e eu precisava ver como funcionava. "Ficar bem" significava que eu teria que continuar vivendo, estudando, disfarçando, atuando para os amigos e repetir para todos que estava tudo muito maravilhoso. Eu não poderia mais me trancar no meu quarto e ficar no escuro tentando adivinhar se era dia ou noite? Feria-me excluir a *playlist* que fiz com as músicas de cantores famosos que se suicidaram ou ter que sair da cama e interagir. Não respondi, e ele esperou até fazer outra pergunta:

— Por que você silencia? Na sua família, conversam sobre o que aconteceu com você?

— Não. Eles só querem que eu viva. Eu estou sendo obrigada a viver. Todos os dias eu tenho que passar maquiagem no rosto para mostrar que me dei ao trabalho de ser vaidosa. Todos os dias eu tenho que ir para a faculdade e ter medo de não ser aceita. E todos os dias eu só penso em me jogar da barca que me leva para Juazeiro/BA. Todos os dias eu fico triste por acordar. E ninguém, muito menos a minha família, entende como é ser frágil demais.

Ele iria fazer mais perguntas, mas as minhas lágrimas o contiveram e eu o avisei que não voltaria mais. Ele chamou a minha mãe, que me acompanhava, e pediu que voltássemos na semana seguinte. Eu preferia me acorrentar na cama a falar sobre algo que dói e me faz questionar como a minha vida e minha alma seriam se eu não tivesse sido torturada psicologicamente por anos.

Esse diálogo aconteceu em 2014, um ano extremamente complicado. As minhas atitudes depressivas se agravavam, e apenas anos depois, diante de uma série de entrevistas e mensagens trocadas com familiares, eu entendi o fio condutor para a minha resistência a querer falar. Antes mesmo de minha mãe nascer, a minha família desenvolveu o que eu chamo de "A criação do silêncio". Um hábito de silenciar diante de tantas dores e perdas. Descobri dores que ainda os rodeiam. Ao terminarem de me contar todos os acontecimentos na família antes de eu nascer, refletiram e pediram que eu retirasse alguns capítulos e não mencionasse as histórias que ainda são vívidas. Respeitei completamente porque os fiz reviver e expor suturas e saudades. Eu cresci na ausência de palavras e aprendi a enterrar o que doía e machucava também. Eu utilizava "A criação do silêncio".

 Colocar um gravador diante da família e pedir que tirem as suturas de antigas feridas requer muita sensibilidade, equilíbrio e compreensão. Eis uma das descobertas que fiz durante esse processo: eu possuo equilíbrio, na medida do possível. Em casa, percebi o tamanho do vazio que havia antes mesmo de eu existir. Ele era imenso, e senti muito por isso.

 Procurei entender, dentro do campo jornalístico, o silenciamento sobre perdas que não são compartilhadas dentro de famílias e núcleos. A teoria de comunicação de massa "Espiral do silêncio" — criada em 1977 pela cientista Elisabeth Noelle-Neumann — me apresentou premissas de que a sociedade possui o hábito de omitir e reprimir alguns comportamentos por medo da exclusão social, evitando "ser" e "dizer" o que a coletividade não aceita, recrimina e não quer lembrar.

 Dentro da esfera dessa teoria, podemos observar o quanto alguns assuntos, como as doenças psicossociais, ainda são um tabu para a sociedade. Lembrei que estava conhecendo os meus medos e os de outras pessoas, mas o que mais me impressionou foi recordar uma frase lida há anos em *Alice no País das Maravilhas* e a forma como ela se encaixa perfeitamente neste processo de autoconhecimento e produção: "Devemos conhecer os nossos medos, mas nunca sufocar neles".

CAPÍTULO 2
Eles trocam mais olhares do que palavras

> *"Eu perco as chaves de casa*
> *Eu perco o freio*
> *Estou em milhares de cacos, eu estou ao meio*
> *Onde será que você está agora?"*
>
> **Adriana Calcanhoto**
> *Metade*

Ele chorava amparado por sobrinhas e sobrinhos que eu não consigo lembrar quem eram. A minha memória desse momento só me mostra os olhos azuis do meu pai lacrimejando. Eu tentava enxergar onde estava a minha mãe, mas, a cada segundo que era reconhecida, uma multidão de vozes falava palavras lindas, eu recebia tapinhas nas costas e abraços de pessoas que nunca tive noção de que existiam. Não tinha como fugir ou me trancar, porque estava acontecendo em uma igreja e as pessoas acompanhavam até a minha respiração.

  Eu nunca o vi chorar. Foi assustador ver o meu pai sentado em um banco de cor mogno, soluçando e sendo amparado. Eu repetia para mim mesma que era apenas um sonho e que em alguns minutos iria acordar, tomar banho e vestir a farda do colégio. Iria ficar tudo bem. Precisava ficar tudo bem. Mas eu não conseguia despertar. Pisquei os olhos e já não sabia onde estava a longa caixa de madeira. Percebi que estavam me carregando para um carro e algum tipo de homenagem, como um desfile de carros, acontecia. É engraçado como tudo se torna pequeno diante de grandes tragédias. As provas do colégio não importavam mais. Os professores poderiam me presentear com quantos zeros quisessem. E eu adoraria colecioná-los. Eu poderia até pedir para enquadrar.

  Eu precisava abraçar meu pai. Eu só queria abraçá-lo, urgentemente, porque eu nunca o tinha visto chorar como uma criança. Fui atravessando a multidão, que estava no cemitério para sentir pena de nós, e parei quando vi os meus pais abraçados. Também notei que ali seria o último abraço entre eles. E era. Não havia apenas uma pessoa sendo enterrada. Jogaram terra em cima da vida de meus pais, da família materna, paterna e em mim.

A nossa família me engoliu em um abraço enquanto cantavam a música "Mais uma vez", de Renato Russo. Queria sair dali, acordar na minha cama e ver meus pais sorrindo, comentando amenidades. Observei o pedreiro passar a massa de cimento na pá, assobiando a melodia da música que ouvira minutos antes, colocando com perfeição e agilidade os tijolos. Agora não tinha mais volta e não havia outra gaveta no túmulo. Isso significava que eu não iria dividir mais nada com a minha irmã, nem os nossos restos mortais se encontrariam.

Desviei o olhar da última fileira de blocos sendo colocados, meus olhos se encontraram com os da minha mãe e comecei a sair daquele local. Alguém gritou meu nome e comecei a apressar o passo. Malditos tamancos Dijean que afundavam na terra! Alguém me puxou e impediu o meu avanço até a porta. "Segura, segura. Segura ela!", gritou uma voz desesperada. Eu precisava ir para casa, no dia seguinte teria aula de matemática e resolver equações não era o meu talento, mas eu precisava fazer qualquer coisa para esquecer tudo. Cada segundo, se possível.

— Ei, Calincka. Fique aqui! — um desconhecido disse.

Com a necessidade de voltar para casa e sair daquele espaço, fui obrigada a me debater até me soltarem e continuar andando.

"Está pronta? Vou começar a gravar. Certo?". Com a incerteza do que deveria dizer, Ivone Crateús perguntou por onde começar. Há muitas histórias, eu sei. Preferi que iniciasse comentando sobre a infância em Minas Gerais. Ivone nasceu em terras mineiras, ajudava nos afazeres de casa e a olhar os irmãos mais novos. Aos dezesseis anos, mudou-se com a família para Juazeiro/BA e posteriormente passou a residir, até o momento em que escrevo esta história, em Petrolina/PE.

Ao chegar a Petrolina, na década de 1980, Ivone Crateús foi matriculada em uma das melhores escolas de Juazeiro, o Colégio Dr. Edson Ribeiro, mas não frequentava. Tinha um espírito travesso, libertário, gostava de ser admirada e sempre que possível tentava ser obediente aos seus pais. Aos dezessete anos, conheceu um jovem vizinho chamado Valmir, que se tornou seu namorado, de quem ficou noiva por oito anos. O relacionamento não deu certo, porque os pais de Ivone não permitiam que uma moça de família saísse para festas — era o ultrapassado namoro de portão — e Valmir começou a trair Ivone. Eu devo agradecer aos meus avós e a esse bendito ex-noivo, caso contrário eu não estaria aqui. *Obrigada, Valmir, por enfeitar a cabeça da minha mãe!*

Com o término do relacionamento, Ivone Crateús, no auge dos seus vinte e quatros anos, começou a cursar o magistério, sair com as amigas e festejar. Ela acabou conhecendo João Bosco, um simples trabalhador rural da Embrapa Semiárido de Petrolina, e os dois começaram a namorar.

— Eu acabei engravidando de Bosco. Minha mãe descobriu e foi contar para a mãe dele. Obrigaram-no a casar e ele não se recusou. Meu pai, Salvador, não queria que eu casasse. Disse que criaria Camilla, mas eu ficaria com uma má imagem. Casei no mesmo mês que um dos meus irmãos, porque ele também tinha engravidado uma jovem.

As fotos do casamento dos meus pais são interessantes — não há felicidade estampada. Na verdade, não há sorrisos ou satisfação. E, com todos os perrengues da vida, estão juntos há trinta e um anos. Bastante tempo para quem não queria casar. Camilla nasceu em 17 de março de 1986 e ficava com uma das minhas tias, porque a nossa mãe trabalhava em Uruás/PE, zona rural. Eram pequenas viagens em paus de arara[1]. Era uma rotina cansativa, humilhante e desumana.

Quando Camilla tinha quatro anos, Ivone se viu desesperada por ter engravidado novamente. Ela não daria conta do trabalho

---

[1] Veículos irregulares, em sua maioria caminhões, adaptados para transportar pessoas na carroceria.

carregando uma criança no ventre. A criança era eu, e ela tentou me abortar. Ocorreram algumas complicações, mas eu consegui ficar firme e forte em seu útero até os sete meses de gestação.

— Você, Calincka, nasceu prematura. Não chorou e não era o que eu estava esperando. O médico errou o ultrassom e nos disse que era um menino. Iria se chamar Vitor Hugo, e quando eu percebi que você não chorava, fiquei assustada. Depois de alguns minutos, você chorou e a doutora Vânia me disse que era uma menina. Eu tive depressão pós-parto. Sempre com aquele sentimento de que não daria conta do recado. De você e de Camilla.

Eu percebi a amargura em sua voz, quando falou sobre a tentativa do aborto e a depressão após o meu nascimento, mas eu a entendo. Entendo seus motivos. Muito mais do que ela pensa. É desafiador colocar uma criança no mundo.

———————

O primeiro a chegar foi o Ninho. Eu o ganhei na faculdade no dia do meu aniversário, era um presente de uma colega de faculdade. O gatinho só tinha cabeça e orelhas, não era nada fofo e eu estava repassando mentalmente o que iria dizer ao chegar à minha casa com a aquela bolinha de pelos que só miava.

— Eu não quero esse bicho aqui. Porque eu sei que quem vai limpar sou eu. E ele só mia. Esse cabeção já come ração?

A minha mãe quase me expulsou da casa. Depois de tanto chilique e, ainda enlouquecida no primeiro dia do gato em nossa casa, ela o aceitou, e em menos de uma semana já estava chamando-o de Ninho — de Chaninho — com a voz de quem está falando com um bebê. Eu jurei que seria o último. Até adotar uma gata e um cachorro elétrico que atende por Apolo. Ver a felicidade da minha mãe e o fato de ela se doar para esses animais me encheu de esperanças. A casa teria barulhos, meus pais iriam dar afagos ou reclamar porque um dos animais iria destruir algo. Iríamos parecer uma família normal.

Com a chegada dos três animais na casa, ocorreu uma significativa mudança. Em alguns momentos, o silêncio passou a ser substituído por risadas de surpresa e admiração ao encontrarmos o cachorro e os gatos dormindo em lugares inusitados. Agora, a casa tinha chinelos destruídos e gatos exigindo atenção. Ficamos mais envolvidos um com os outros e meus pais começaram a se comunicar mais. Eles trocam mais olhares do que palavras, mas eu sei que essa é a maneira de lidarem com o vazio que a primogênita deixou. Estão juntos e um cuida do outro, mas a carência de comunicação afeta Ivone Crateús, e eu tento preencher as lacunas sempre que tenho a oportunidade. Às vezes eu queria colocar a minha mãe em um potinho e protegê-la para que preocupações, saudade e tristezas repentinas batessem no vidro e não a atingissem. Ela sente falta de música na nossa casa; sente falta de conversas longas e gestos carinhosos do meu pai. Há muito amor dentro dela que precisa ser compartilhado, e os animais a ajudam como válvula de escape.

CAPÍTULO 3
Com palavras eu não sei dizer

"Afagar a terra
Conhecer os desejos da terra
Cio da terra, a propícia estação
E fecundar o chão."

Chico Buarque
O cio da terra

João Bosco, meu pai, me olhou desconfiado enquanto eu prosseguia fazendo perguntas básicas.

"Quantos irmãos você tinha, o nome da sua mãe e seu pai, idade, peso e CPF?"

Eu estava rindo, porque ele me olhava como se eu não fosse normal, e me diverti quando ele questionou se a função do jornalista era "saber coisas bestas".

Bosco começou a sentir o gosto da perda quando seus pais faleceram e, posteriormente, a filha. Ele não é tímido, mas não é muito comunicativo, e o tempo apenas o ajudou a se manter longe de algumas lembranças que prefere não compartilhar. Como um velho sábio, ele me diz muito mais com gestos e olhares e com sua simples frase:

— Homi, me deixe — dei gargalhadas.

Nós nunca falaríamos, mas eu sempre tentaria, porque sou a única que consegue baixar a guarda dele sendo persistente e indiscreta. Vejo suas mãos calejadas por ter sido um trabalhador rural por trinta e cinco anos e sinto vontade de beijá-las, afinal foram elas, agarrando enxadas, que me deram o melhor e o possível.

Quando eu era criança, havia muitas desavenças entre meus pais por causa da minha criação e travessuras. Minha mãe, muitas vezes, queria me castigar, por minhas malcriações, com uma bela surra de chinelo ou cinto e o meu pai aparecia com uma capa transparente de super-herói para me salvar. Alguns parentes acreditam que eu fui muito mimada por ele, mas eu sei que todos os presentes, mimos e a realização dos meus pedidos eram um jeito de ele se comunicar comigo, de demonstrar o seu amor. Ele escolheu recompensar a sua ausência com gestos, porque o falecimento da minha irmã foi a perda do chão e a suspensão de lembranças em sua mente. Ele não fazia só por mim, Camilla também estava recebendo e eu sabia disso.

    Em seus pensamentos impenetráveis, eu tenho medo de que ele acredite ter falhado como pai. Ele nunca falhará. Ele queria que eu estudasse, fosse feliz e nunca reclamou de uma roupa curta que usei e uso. Nunca me tratou menos do que uma princesa. E quando eu levei o meu primeiro namorado para casa, ele o recebeu como um filho. É preciso ressaltar que eu poderia ter sido privada de tudo por ter um pai que foi criado rusticamente. Ele poderia ter me surrado em várias oportunidades, porque eu aprontava muito, na verdade eu fazia o mundo ter labirintite quando criança, mas em momento algum lembro do meu pai me castigando. Uma das lembranças mais simples e ternas, para mim, era o ato de me dar suas galochas para que eu pudesse correr entre as plantações na roça da família. Sinto saudades dos momentos em que íamos cortar cana-de-açúcar e colher mangas. Consigo me lembrar, perfeitamente, das minhas mãos lambuzadas pelo sumo da manga. Longe da escola, eu conseguia ter momentos simples, mas alegres.

    — Para que você usa esses casacos num calor da moléstia desses? — perguntou meu pai com interesse ao me ver vestindo um casaco branco.

    Expliquei que as pessoas ficavam encarando os meus pulsos cortados e agiam cautelosamente, achando que eu iria me suicidar ali mesmo, na frente delas. Esclareci que era constrangedor, porque faziam perguntas e eu sentia vergonha por isso. Uma semana depois, ele me entregou duzentos reais para fazer a minha primeira tatuagem e esconder as cicatrizes. Eu tatuei uma girafa!

"Cabeça nas nuvens e pés no chão. Elas evoluíram para sobreviver e não deixar a sua espécie ser extinta." É o que respondo quando perguntam o significado. João Bosco não sabe, mas esse gesto está marcado na minha pele para me mostrar o quanto eu o amo.

Em 1993, aos três anos, fui levada apressadamente para Salvador/BA com suspeita de envenenamento, mas descobriram que era púrpura imunológica. Estava com baixo número de plaquetas no sangue e tendo hemorragias. Entrei em coma por vinte e sete dias e, segundo os médicos, eu não sobreviveria. Aos três anos dormi por quase um mês, minha especialidade nos dias atuais. Enquanto minha mãe estava comigo no hospital, meu pai se agarrava a mudas de plantas e enxadas para me manter no hospital. Até a notícia de que eles deveriam desligar os aparelhos e me deixar descansar. Meus pais concordaram e já se preparavam para perder a caçula, a bebê, o "dengo" deles.

Acordei do coma depois do batismo e da extrema-unção e fui considerada um milagre. Saí no jornal — sim, eu virei notícia. Essa não seria a primeira nem a última vez. Com humor, às vezes brinco dizendo "Para que eu fui acordar?" diante de tantas notícias cruéis no Brasil.

CAPÍTULO 4
Escada ou elevador?

> *"E se você tiver que morrer, querida*
> *Morra sabendo que sua vida foi a melhor parte da minha*
> *Se você tiver que morrer*
> *Lembre-se da sua vida."*
>
> **Keaton Henson**
> *You*

Direciono-me até as escadas, sem observar atentamente o que está ao meu redor. Não ouço e não vejo, só sinto. Tudo e nada ao mesmo tempo. Percebo a existência da dor, mas não a reconheço. Sim, estou entorpecida, completamente anestesiada. Devaneio olhando para as formas geométricas do ambiente. *O acabamento no teto do hospital é interessante. Talvez devêssemos copiar esse acabamento e colocá-lo na nossa casa. Falarei com minha mãe sobre isso.*

  Tento me concentrar, focar os meus olhos em algo ou alguém, mas é impossível parar de imaginar o que me espera no terceiro andar daquele hospital. Percebo que serei a última a saber. O que está acontecendo? Por que não encontro nenhum rosto familiar na entrada? Identifiquei que havia algo errado desde o momento em que saí da sala de aula. Estava concentrada no meu livro, mergulhada na história da Revolução Francesa, quando a coordenadora entrou na classe e todos os ruídos desapareceram com a presença dela. Parecia que estávamos com medo dela, mas era respeito ou a mistura dos dois, e ela se dirigiu até a professora. Elas conversaram por volta de dois minutos, discretas e serenas, mas percebi a preocupação nos olhos da educadora assim que me avistou.

  Mantive a calma, andando vagarosamente pelos corredores até a diretoria, questionando-me se teria feito algo errado. Não recordo nada que pudesse me comprometer com os superiores do colégio. Confesso que, sim, pensei que pudesse ter sido o que todos já esperavam. Mesmo assim, varri esses pensamentos e escolhi abraçar a ideia de que tinha feito alguma coisa para estar diante da sala imensa e iluminada da direção. Sentei-me e esperei apreensiva pelas palavras da diretora, mas não queria ouvi-las. Gostaria de estar em outro lugar, talvez em casa assistindo a desenhos ou comédias românticas dos anos 1980.

Preferia estar fazendo qualquer outra coisa a ter que observar aquele rosto envelhecido diante de mim, esperando o momento certo para comunicar que minha mãe solicitara a minha presença no hospital. Cheguei a cogitar que algum professor tinha percebido que um dos meus colegas de sala tinha chutado a minha cadeira para que eu borrasse o caderno com a caneta de tinta azul. Estávamos treinando escrever com canetas, e repetidamente me faziam errar a letra ou riscar fora das linhas. A diretora gesticulou para a secretária e pediu um "Formulário de Liberação Escolar". Entendi que não estaria livre do colégio. A minha esperança morreu naquela sala ordenada por fotos com bispos e padres. Ela engoliu a saliva e me olhava com... pena? Solidariedade? Não consigo definir aquele olhar. O nó na garganta me sufoca, e não posso soltar a respiração. Sou vencida pelas lágrimas, o choro vem do âmago da minha alma e só consigo pensar na devastação da minha família que já foi marcada por diversas tragédias. Não consigo perguntar o que aconteceu, choro silenciosamente e ela levanta-se para me oferecer água.

O copo está diante de mim, mas não consigo mover as mãos, que estão coladas e suadas na mesa. O nó na garganta é desfeito com as sequências de soluços. Tremo. Minha mente está no futuro, e questionamentos surgem como a chegada de um *tsunami*: violentos. *Como Camilla está? E a minha mãe? Estão todos lá? Qual o motivo de tanto mistério?* Retiro-me da sala e pego a autorização para sair da escola e me fazer presente no hospital. Por um momento, consigo prestar atenção e analisar se realmente é melhor ir pela escada ou correr o risco de explicar o motivo de tantas lágrimas no elevador.

Escolho a escada para adiar ao máximo o momento que vou presenciar. A cada degrau é uma esperança que vai sumindo e dando lugar ao medo. Chego ao terceiro andar anestesiada. Limpo o rosto com a manga do cardigã e vejo que não estou preparada.

Mesmo assim, abro a porta que dá acesso a uma sala de espera da Unidade de Terapia Intensiva (UTI) e me obrigo a andar. Vejo a porta entreaberta e não há ninguém. Vou até a recepção pedir informações, excluindo imagens aleatórias da minha mãe chorando, do meu pai triste e de Camilla... Bem, imagens de Camilla nos deixando. Com dezoito anos, quatro anos mais velha que eu, perdendo tudo o que a vida pode proporcionar. Penso que isso vai acabar com o estado emocional de todos, principalmente da minha mãe. Volto a minha atenção para a enfermeira que me atende. Ela pergunta se sou a irmã da paciente do quarto 16 e me diz para segui-la até a UTI no sexto andar. Eu tinha errado o local. Ela apertou o botão do elevador e esperou. "Eu vou pela escada", informei. E subi mais três lances. Tenho a sensação de que não verei a minha irmã novamente e já não consigo identificar o porquê de tanta calma. Ainda me pergunto de onde veio.

    O sexto andar está lotado de amigos e de familiares. Estão reunidos em grupos, conversando quase por sussurros porque há pesar. É uma cena estranha, pois não costumo ver minha família reunida em um hospital. Reunimo-nos sempre para celebrar e festejar. Entro e todos olham para mim, minha mãe me chama para perto. Sigo em sua direção, cumprimentando as pessoas que estão no meu caminho. As persianas da UTI estão abaixadas e minha mãe, com a voz embargada, me fala que o neurologista nos reuniu para um comunicado. Pergunto se minha irmã tinha falecido e ela responde que não, mas que era só uma questão de tempo. Uma família estilhaçada. Os cacos de vidro estão visíveis até hoje.

    Nos filmes americanos, as famílias em luto ganham tortas, bolos, folgas do trabalho, os vizinhos lavam a sua louça como um gesto de conforto. Mas no Brasil, na realidade, ganhamos várias justificativas de desconhecidos que mencionam palavras e frases como "destino"; "está no céu"; "está em paz"; "virou um anjo"; "vai passar"; "Deus quis assim e é a vontade Dele". E era um saco ouvir isso. O cristianismo não conforta a dor, só nos ensina a fingir que ajuda.

     O que eu queria receber como conforto era a possibilidade de passar pela dor da perda da minha irmã sem ser perseguida na escola. Eu só queria sofrer sem ter que ser humilhada. Acredito que o único presente que recebi foi do professor de matemática. O meu nome não estava na lista de recuperação, mas deveria porque eu passei o semestre tirando notas vermelhas. Agradeci mentalmente, mas esse ato não teve importância, porque eu não queria mais estar nem naquele colégio nem em mim.

SUSSURROS

CAPÍTULO 5

Começo dizendo que sei o quanto estou sendo egoísta. Egoísta com aqueles que me amam, com aqueles que querem o meu bem. No momento digito com uma certeza palpável. Estou escutando "She's Lost Control", do Joy Division. Eu perdi o controle. Eu perdi. Eu sou covarde? Não, não sou. Estou desistindo e há certa coragem em desistir. Eu sou triste, estou ferida desde os nove anos de idade. Acreditei que passaria, que mudaria, que finalmente conseguiria esquecer o que foi implantado na minha mente. Eu sou o zero à esquerda da família, a piada, a que não fará falta. Mãe, não me refiro a você. A senhora é linda. Desculpe-me por tudo e obrigada por tudo também. Seja forte. Eu cansei de ser forte. A senhora é forte. Cuide do meu pai. Eu o amo tanto. Tanto. Ele não merece uma filha como eu. Ele merece a melhor filha do mundo. Painho, eu te amo. Eu sinto muito. Muito mesmo. Perdoe-me. Mas eu não quero mais me olhar no espelho e lembrar cada palavra maldosa que já ouvi. Mãe, eu não quero mais me sentir como se não merecesse ser amada, como se não merecesse ser feliz. Eu não quero mais pensar que sou uma piada. Mãe, eu estou perdida. Eu não tenho prazer em viver. Eu estou abrindo mão da minha vida. Eu te amo, mainha. Sempre te amarei. Não se culpe. E, sim, você me criou bem. Eu sei que a senhora vai sentir minha falta, mas vai passar. A dor ameniza. Eu fiz minha escolha. Por favor, entenda. Eu não tenho medo do que me espera.

Quero fazer meus últimos pedidos:

Viaje para uma praia com painho.

Cuide dos gatos como sempre fez.

Não desmorone.

Dirija. Sem medo. Enfrente o trânsito.

Pare de beber. E de fumar. Cuide da sua saúde, mainha!

Saia, vá passear!

Mude de bairro.

Cuide da saúde de painho.

Viva. Vá a festas, passeios... Viva.

Reze por mim. Por minha alma.

Não deixe que ex-colegas do colégio apareçam no meu enterro. Nem os professores. Eles subestimaram a minha capacidade.

Eu amo você, mãe. Eu só não quero mais acordar e me sentir o lixo que sou. Obrigada por tudo.

Com amor,

Calincka Crateús

CAPÍTULO 6
Caiu no poço

"Tão sozinha
Mesmo quando eu era criança
Eu sempre soube
Que isso era algo para se temer."

Florence and the Machine
Breaking Down

Quando eu era pequena, ouvia piadas o tempo todo sobre o meu corte de cabelo, bem curto, quase igual aos cabelos dos meninos. Era a alternativa que a minha mãe escolheu para solucionar os meus escândalos na hora de penteá-los. Alguns meninos e meninas gritavam que eu tinha uma fábrica de piolhos na cabeça e por esse motivo a minha mãe "raspou" as minhas madeixas. Não era chamada para brincar e, quando me oferecia, algumas mães puxavam seus filhos pelo braço como se fossem contrair uma doença contagiosa só de olharem na minha direção.

  Não percebia, mas, ao contrário dos cabelos, cresciam em mim o meu isolamento e o sentimento de rejeição. Acabei sendo presenteada com muitos brinquedos que nem sempre precisavam da interação com outras crianças. Tive as melhores Barbies e cheguei a colecioná-las até perceber que brincar sozinha era triste e solitário para uma menina de nove anos. Na escola, eu também não fazia sucesso com as pessoas da minha idade. Só recentemente, com certa mágoa, perguntei à minha mãe se ela se lembrava da minha fase de cabelo quase raspado.

  — Eu era chamada na escola porque você vivia penteando os cabelos das meninas. As mães não gostavam, e eu gastava um pote de creme só no seu cabelo.

  Como assim, eu era um "problema"? Eu perdia algumas explicações desembaraçando os cabelos das colegas — que chegavam a dormir — e as mães reclamavam? Eu estava fazendo um favor e não era reconhecida. Algumas pessoas são ingratas mesmo.

Aos onze anos, eu acreditava que estava "apaixonada" por um menino que morava no meu bairro mas era de outra rua. Gledson era admirado pelas meninas por sua beleza e pelo espírito de líder na hora de organizar times para brincadeiras. Por algum milagre, um dia eu consegui convencer minha mãe e fui brincar, pela terceira vez, de vôlei com as crianças da rua. Lá estava Gledson comandando todos à sua volta na minha rua. Essa foi a primeira vez que me senti aceita. Ele me escolheu primeiro para o seu time, mas eu realmente me esforçava para ser notada e chamada. As aulas de vôlei no colégio pareciam servir finalmente para alguma coisa. A mente de uma criança com resquícios de rejeição e vítima de isolamento se torna totalmente sensível a qualquer atitude e, principalmente, às "ações generosas", como ser escalada para um simples time de rua. Registrei na mente que Gledson era bom e generoso. Eu podia confiar nele.

Eu tinha direito a mais duas horas de brincadeira, quando faltou luz na rua e ficamos sem poder jogar vôlei. Era impossível ver a rede — feita de barbante branco — amarrada entre dois postes. Era fim de jogo para mim, pois não sabia dizer quanto tempo levaria para poder brincar no meio da rua novamente. Não lembro quem exatamente sugeriu que brincássemos de outra coisa até a luz voltar, mas muitos concordaram em brincar de "Caí no poço". Uma brincadeira em que as meninas escolhem uma fruta para que os meninos adivinhem o nome e ganhem recompensas ao acertar, como abraços, apertos de mão ou selinhos. Era a minha primeira vez na brincadeira, e eu estava empolgada porque nada poderia dar errado. Poderia?

Ouvi as lembranças batendo na porta e eu não queria deixar que entrassem. Não eram boas companhias, eu não queria beber café com elas. Como um assassino voltando ao local do crime, fui invadida pela sensação de desconforto e ouvi Gledson explicando aos outros meninos que eu corria como garoto, porque era feia. Olhei para o lado direito e me vi na terra de bruços ao cair com dois empurrões de Gledson por ter deixado o time adversário pontuar. Ouvi alguém cochichando perto de mim e, ao olhar na direção, recebi uma pancada nas costas por uma das meninas bonitas do meu time. Ela gritava:

— Vai chorar? Vai? Agradeça por não ser sal. Sal em sapo queima.

Agora eu sacudia a cabeça, porque jogaram um punhado de terra no meu cabelo. Todos riam, e como a luz da rua acabou eu permiti que algumas lágrimas escapassem. O que eu estava fazendo ali ainda?

Alguém me puxou e colocou as mãos nos meus olhos para que eu pudesse ser a primeira a brincar de "Caí no poço". Eu tinha que adivinhar o nome da fruta e, se acertasse, poderia escolher alguém para me bater. Sim, bater. Veio-me à mente a palavra "umbu", porque eu não queria apanhar. É claro que eu tinha errado, mas eles disseram que eu tinha falado a mesma fruta que todos e precisava escolher alguém que pudesse me dar a recompensa.

Gledson me batia com as mãos fechadas. Eu estava abaixada levando murros nas costas e ouvia as risadas. As minhas mãos estavam enterradas na terra, e a minha alma também ficara lá ao perceber que aquilo não era mais uma brincadeira. Eu estava sendo violentada e só podia pensar em pedir desculpas à minha mãe por não ouvir seus conselhos sobre brincar sozinha e em segurança.

A brincadeira terminou há alguns anos, mas continuou se repetindo na minha mente e na minha alma. O primeiro contato com agressão gratuita tornou-me um receptáculo de ataques verbais e físicos nos anos seguintes. Como uma serva, eu abaixava a cabeça e aceitava ordens de pessoas que se sentiam superiores a mim, e a pior parte era perceber que éramos apenas crianças.

Por que há crianças maldosas? Elas não são consideradas a esperança do mundo e possuem a inocência de um filhotinho de cachorro? Como e onde aprenderam a praticar atos de pura violência e difamação? Eu tinha uma resposta, mas precisava ter a certeza perguntando a uma criança e a um graduando em

Pedagogia que, assim como eu, estava estudando sobre agressões entre alunos dentro do ambiente escolar.

Enviei uma mensagem pelo WhatsApp e esperei ele responder.

"Elvis." Escrevi o seu nome e enviei a mensagem. Fiquei olhando para a tela do *smartphone*, esperando um sinal de que ele estivesse *on-line*.

"Eu fiquei refletindo sobre os desenhos que você me enviou e cheguei a uma conclusão."

"Fala... Ansioso", respondeu ele depois de alguns segundos.

Elvis estava graduando em Pedagogia pela Universidade do Estado da Bahia em Juazeiro/BA, e nos conhecemos em uma oficina que ministrei na mesma universidade. Ele estava pesquisando o mesmo tema que eu, e acabamos debatendo sobre crianças *bullies*. Ele utilizou uma estratégia inteligente para observar o comportamento de alunos e professores dentro de uma sala de aula. Passou-se por aluno e conseguiu captar algumas atitudes que evidenciam agressões gratuitas e propositais. Imaginei como seria observar uma sala cheia de adolescentes praticando *bullying* com alguns colegas. Eu queria analisar — utilizando o mesmo método de pesquisa de Elvis —, mas seria desmascarada, já que a maioria dos habitantes de Petrolina e Juazeiro me conhece ou reconhece.

Elvis fez dinâmicas falando sobre *bullying* com algumas crianças e uma delas era retratar o tema em forma de desenho. Quando ele me enviou os desenhos por e-mail, eu não consegui dizer nada na hora. Nem me expressar com *emojis* do aplicativo. Os desenhos demonstravam pedidos de socorro, medo, timidez, mágoa, tristeza e abusos. Fiz Elvis me prometer que iríamos reencontrar essas crianças.

"O *bullying* nasce dentro da própria casa", comecei explicando. "O primeiro contato de uma criança é com a família. E se ela, a família, estiver desestruturada, desajustada, a escola irá apenas fortalecer a prática do *bullying* ao expor padrões impostos pela sociedade, falta de fiscalização, de acompanhamento psicológico e omissão. Também é um espaço que facilita, todos os dias, o encontro do agressor com a vítima. Eu sei que isso é obvio, mas essa percepção eu não possuía até ver os desenhos. A cultura do *bullying* nasce em casa e é alimentada na escola."

"Isso!", respondeu Elvis. Não pude visualizar sua expressão porque estávamos conversando por um aplicativo, mas acho que ele ficou feliz ao saber que compartilhávamos a mesma percepção sobre o assunto.

As pessoas pensam que o *bullying* é gerado na escola. Não é. Ele é originado na sociedade, na família e na cultura. A escola é um instrumento que fomenta a prática, tratando as agressões como algo natural que sempre acontecerá.

"Arrasamos na reflexão!", respondi, com orgulho por nós dois. Dois jovens tentando entender algo caracterizado como brincadeira, mas que leva alguém à depressão ou ao suicídio.

A maioria das pessoas que praticam *bullying* possui um histórico de ausência de afeto, atenção e disciplina. Acredito que não há verbalização e que, às vezes, os agressores não podem contar com a própria família. Falo veementemente porque, ao analisar a vida dos meus *bullies*, percebi o caos entre eles. Já senti empatia porque imagino o quanto é difícil sustentar uma criança diante da crise econômica atual do país. Imagino como é ter que pagar as contas e não sobrar nada para usufruir com lazer. Imagino, também, como é mais divertido comentar os acontecimentos na vida de outras pessoas para fugir da própria. Alguns não conhecem a empatia, não conseguem colocar-se no lugar do outro. Eu consigo.

As ofensas eram repetitivas e começaram a me perturbar internamente quando, na escola, utilizaram pela primeira vez o meu cabelo como uma lixeira para colarem chicletes. E lá estavam a minha infância e a minha autoestima sendo jogadas para os leões em covas.

Por meses, eu recortava as mechas de cabelo assim que chegava em casa e escondia os cortes com faixas e diversos tipos de enfeites. Isso também não os agradava. Com o tempo entendi que, a cada ano, as agressões aumentariam se eu não aprendesse a me "camuflar" ou me tornar um fantasma. Os sinônimos de "passar despercebida" tornaram-se os meus principais objetivos e *status* essencial no Ensino Fundamental e seguidamente no Ensino Médio.

É angustiante relembrar atitudes que mudaram a minha vida bruscamente.

CAPÍTULO 7

Faça um pedido

"Quando ela era apenas uma garota
Ela tinha expectativas do mundo
Mas ele escapou do seu alcance, então
Ela fugiu em seu sono."

Coldplay
Paradise

Era o meu primeiro aniversário sem Camilla. Na verdade, eram meses sem a minha irmã. Naquele dia, eu não esperava nada, contei nos dedos as ligações. Tia, avó, primo e fim. Apenas três ligações, um abraço da minha mãe e um "Toma cinquenta reais" do meu pai. É claro que eu me parabenizava. *Tenho quinze anos. E infelizmente continuo viva.*

    Sempre agradeci por nascer no final do mês de novembro, porque entrávamos em férias, nenhum garoto que me perseguia cantando "Com quem será que Calincka vai casar?". E esse fato é um presente do céu. Tenho que agradecer pelo fato de a minha mãe, correr risco na minha gravidez — que agradecimento mais infeliz, não é? Mas eu precisava ser retirada no sétimo mês de gestação para meu pai não ter que escolher quem viveria ou quem morreria — caso contrário, eu teria nascido quase no Carnaval. Ninguém merece nascer no Carnaval; imagino as pessoas saindo em blocos carnavalescos em vez de ir ao seu aniversário. "Oi, nem posso ir para o seu aniversário porque comprei abadá do bloco da Ivete Sangalo."

    O meu aniversário de quinze anos aconteceu depois da minha crisma, a confirmação do batismo católico, na catedral de Petrolina/PE. Eu estava em paz. Triste, mas em paz. Lembro desse sentimento, porque era raro. E ao chegar à minha casa vi uma mesa expondo bolo, salgados, docinhos, velas, refrigerantes, copos e pratos de plástico, decoração com papel e cartazes. Havia muitas cadeiras e éramos poucos. Olhei assustada aquela cena e minha família me parabenizou, mas avisaram que estavam esperando meus amigos. Que amigos? Eu não tenho amigos, tenho senhores de engenho no colégio. A minha mãe está louca? Desesperei-me. Iriam falar do meu bairro que não é asfaltado, colocariam defeitos no bolo e na minha casa humilde, falariam que meu pai era mudo e que minha festa era um fracasso. Estavam dando um arsenal de armas para usarem contra mim e não sabiam, não era culpa deles. Eu tremia quando ouvia o barulho de carros passando na rua.

Minha mãe estava na sala assistindo a uma novela e eu a chamei para relembrar com ela o meu aniversário de quinze anos.

— Eu encomendei muita coisa. Convidei seus colegas do bairro e do colégio. Você brigou, ficou triste porque não queria festa, mas eu tinha que fazer. Eram seus quinze anos. Ninguém apareceu e eu tive que distribuir bolo e salgados para os vizinhos. Você dormiu chorando.

Ela nunca mais fez um aniversário para mim. Por respeito. Começou a colar bilhetes na porta do meu quarto, em vez de comprar bolos e salgados, e eu adoro essa atitude: "Parabéns, eu te amo e Jesus também", "Deus está ocupado cuidando da sua história. Feliz aniversário". Ela entende que na véspera dos meus aniversários vou relembrar acontecimentos, respondendo às felicitações das pessoas nas redes sociais, mas esperando que o dia termine. Esperando o Rivotril agir em minha corrente sanguínea e me tranquilizar.

Aos quinze anos, eu comecei a roubar os medicamentos da minha mãe para dormir. Nunca mais parei de usá-los. A sensação era ótima. Deve ser a mesma sensação de levitar, mas eu nunca saberei por que o ser humano ainda não tem essa habilidade. Estava fazendo a coisa errada? Estava, mas eu não suportaria mais um dia se não encontrasse algo ou alguém para me ajudar. A sedação do Clonazepam era perfeita. Meus músculos relaxavam e eu esquecia as dores, as culpas, as ofensas e a escola. Fui descoberta quando meus pais começaram a perceber que algumas caixas do sedativo tinham sumido. E, por mais que tentasse esconder, eu vagava pela casa sem sono, quando não conseguia roubá-los, por estar viciada nos tranquilizantes.

No mesmo ano, fui a um psiquiatra para explicar o que estava acontecendo. Ouvi "Não faça isso, você é tão jovem" e pedi a prescrição dos tranquilizantes. Pedi amostra grátis até a minha mãe comprar os meus com a receita. Eu nunca mais fui a mesma, mas fiquei feliz por saber que todas as noites substâncias químicas iriam levar para longe o medo e a tristeza. Eu sentiria torpor, calma, paz e não ouviria o barulho da minha solidão no quarto. Eu não me importava com os efeitos colaterais.

O meu presente de quinze anos era um sedativo, e não vestidos de princesa. Algumas debutantes dançam em suas festas de quinze anos e outras levitam ao sentir os efeitos dos hipnóticos[2], podendo, também, dançar uma valsa com seus sonhos induzidos por tranquilizantes.

---

[2] Sinônimo de remédios para dormir ou tranquilizantes.

CAPÍTULO 8
A lista

> *"Além do escuro*
> *Há paz, eu tenho certeza*
> *E eu sei que não haverá mais*
> *Lágrimas no paraíso."*
>
> **Eric Clapton**
> *Tears In Heaven*

Era arriscado escrever no computador, em 2008, como eu me sentia, porque ele era acessado por minha mãe. Assim, só me restavam as agendas florais e femininas. Ali, em páginas coloridas e perfumadas, eu poderia gritar o quanto doía sentir que o mundo estava contra mim, escrever as palavras ofensivas que ouvia e jamais iria repetir em voz alta.

Às vezes, a tinta da caneta misturava-se com as minhas lágrimas na folha. Isso não importava, porque eu sabia que não iria voltar a ler aquelas páginas por dois motivos: eu não tinha coragem e iria me suicidar. A agenda poderia ficar com um aspecto horrível, eu não iria voltar para vê-la, claro. Os pensamentos suicidas tinham vencido, e eu fizera uma lista do que poderia perder ao me enforcar. Não era uma lista sobre os motivos para continuar respirando, porque o meu subconsciente já tinha entendido o que eu ansiava: a morte. O vazio. O silêncio. Eu gostaria de ler algo que me lembrasse dos motivos.

1. Eu vou ter paz.
2. Eu não vou ouvir que sou feia.
3. Eu não vou ouvir que pareço um sapo.
4. Eu não vou parecer um resto de aborto como falaram lá na sala.
5. Eu não vou precisar passar no vestibular.

6. Eu não vou ter que explicar que sou virgem porque ninguém nunca quis namorar comigo.
7. Eu não vou precisar chorar escondido.
8. Eu não vou precisar me sentir um lixo quando quiserem falar comigo só porque conheço meninas bonitas.
9. Eu não vou precisar me dopar com os remédios da minha mãe.

CAPÍTULO 9
A grade da perversidade

"Não tente me acordar de manhã
Porque eu terei ido
Não se sinta mal por mim
Eu quero que você saiba
Do fundo do meu coração
Eu ficarei tão feliz em partir."

The Smiths
Asleep

No primeiro ano do Ensino Médio, descobri uma maneira de me proteger das ofensas verbais, das torturas psicológicas e de me camuflar. Laura, Fernanda e Renata foram consideradas as meninas mais bonitas da escola. Eu percebi o interesse dos meninos, que faziam *bullying* comigo, por essas "novatas" que tinham acabado de ser transferidas de outro colégio, e fui a primeira a me aproximar delas sendo gentil, apresentando a nova escola e os professores. Lógico que eu não deixaria de comunicar qual era o pior e o melhor professor, mas eu não tinha muita credibilidade, porque tirar dois pontos e meio nas provas era a minha especialidade.

Por incrível que pareça, eu fui aceita pelas três garotas e as coisas começaram a melhorar. Passamos a ser reconhecidas como "As lindas novatas e Calincka". Para mim, só em saber que elas me defenderiam já estava bom. Era o ápice da minha felicidade, e eu precisava retribuir. Comecei a estudar por elas para que eu pudesse ajudá-las nas provas, fazia alguns trabalhos e colocava seus nomes e inventava histórias mirabolantes para os professores quando elas faltavam ou matavam aulas. Meu objetivo era sobreviver e ser esquecida, mesmo que fosse me camuflando atrás de três garotas egocêntricas. Os meus agressores passaram a me procurar para que eu pudesse passar bilhetes, recados, chocolates e pulseiras para as minhas amigas. Quase soltei fogos quando percebi que ser um pombo-correio era mais viável que ser perseguida. Éramos inseparáveis. Eu realmente necessitava da popularidade delas para viver em paz no ambiente escolar.

No início do segundo ano do Ensino Médio, começaram os boatos. Havia se espalhado por toda a sala que eu estava falando mal de Laura, Fernanda e Renata. A primeira história disseminada nos corredores era de que eu tinha contado a todos e todas que as minhas três "amigas" não seriam mais virgens, para colocá-las em má situação com os meninos que elas estavam paquerando. Até hoje eu não sei de onde surgiu tamanha mentira, mas o que me incomodou foi o fato de a "Turma C" me excluir, me ofender verbalmente, esbarrar de propósito em mim e colocar o pé na frente para que eu tropeçasse. Eu passei a lanchar no banheiro escondida. Evitava falar na sala de aula. Um dia, decidi pedir ajuda e fui até a sala da coordenação do Colégio Diocesano Dom Bosco e relatei o acontecido. Minha mãe foi chamada e nada foi resolvido. A única conclusão a que chegaram era que o problema estava em mim. Sim, foi isso que disseram à minha mãe.

Por que iriam acreditar em mim? Estávamos inadimplentes com a escola, vários meses sem pagar.

— Com os empréstimos que fiz para pagar o hospital, quando Camilla ficou em coma, eu realmente não poderia te tirar do colégio. Não me davam a sua transferência e muito menos a oportunidade de esclarecer o quanto você sofria em casa com o mal que te faziam. Você se trancava no quarto e eu só sabia que você estava viva pelo buraco da fechadura, quando o computador era ligado.

Eu me recordo de tentar fazer transparecer que estava tudo bem comigo nas redes sociais Orkut e Flogão, mas não estava. Eu já tinha os pensamentos suicidas que nunca eram concretizados até acontecer a história da grade.

―――

Aos dezessete anos, a virgindade para mim ainda era um tabu. Nunca tinha tido relação sexual com ninguém, e muito menos namorado. Eu não teria o que contar se alguém perguntasse sobre relacionamentos amorosos.

O tempo que passei com Laura, Renata e Fernanda me fazia um ser de outro mundo, um extraterrestre para ser mais exata. Como eu explicaria a sensação de ver um garoto a fim de mim? Sempre mentia respondendo que gostava de uma pessoa que morava longe para ser aceita. Procurava na internet histórias e dicas para o primeiro encontro e aconselhava as minhas "amigas", mas estava mentindo para ser aceita e adorada, e desse modo poderia continuar na sombra ou sem chamar atenção no colégio.

Quando percebi a exclusão, as ofensas verbais, os cuspes no meu copo de refrigerante, isso me lembrou de que havia três opções para me livrar daquele ambiente: pedir transferência, esclarecer à coordenadora escolar o que estava acontecendo ou suicidar-me. A primeira opção estava descartada porque não iriam concordar com a minha transferência. Meus pais estavam pagando juros altíssimos de empréstimos aos bancos, para se assegurarem de que Camilla teria o melhor tratamento possível, e devendo à escola. A segunda opção era inviável: minha mãe já tinha ido até a escola e ouvido várias vezes que eu era o problema da sala e era desinteressada.

— A coordenadora, Aparecida, dizia que você era o problema da sala, mas eu queria contar o que sabia e você não deixava por medo. Está vendo? Eu era chamada lá no colégio e a sua turma saía por cima da carne-seca.

Quando minha mãe relembra, um estranho sentimento de culpa transborda em sua voz e gestos. Ivone me olha triste enquanto conversamos e relembramos. Não sei se é pela história ou pelo que me tornei nos meses e anos seguintes. Excluída, fiquei exposta para ser alvo de perseguição novamente. E acertei! Se fosse um palpite para um jogo da Mega-Sena, estaria colocando sais de banho na minha "banheira vitoriana" ou flertando pela Europa. Infelizmente, era mais um acerto de que eu seria torturada psicologicamente e voltaria a mutilar sonhos, autoestima e motivações para continuar vivendo.

No recreio, em 2008, atravessei o pátio para ir até o bebedouro da escola, que ficava entre suas grades brancas, como se fosse uma gaiola para proteger e trancar o bebedouro — era trancado porque, às vezes, ocorriam atos de vandalismo como arrancar as torneiras — e ali a água estava sempre geladinha. Ao lado havia um corredor, onde eu normalmente me escondia durante o intervalo. Se tivesse mais alguém naquele lugar, eu iria para o banheiro feminino. Curvei-me para beber água e um menino do terceiro ano do Ensino Médio me segurou por trás e encostou seu órgão sexual junto ao meu corpo. Então, puxando o meu cabelo, ele sussurrou no meu ouvido algo que eu jamais esqueceria e me marcaria profundamente, apagando a esperança de um dia me sentir feliz, amada e desejada.

— Eu só te foderia por trás para não olhar para a sua cara porque você é feia — falou, soltando o meu cabelo, enquanto eu tentava encontrar algum motivo para aquele ato.

Quando ele me soltou, bati a boca na torneira do bebedouro e não consegui assimilar o que aconteceu. Ele olhou para mim e começou a rir. Ouvi o "Não mesmo", que falou em voz alta enquanto saía do local em direção à sala ou a qualquer outro lugar. Eu não entendi, continuo sem uma resposta. Achei que estava imaginando, mas, quando o vi rindo com os amigos no banco perto da gruta de Nossa Senhora, percebi que não era imaginação. A quem eu contaria? O que eu fiz para ele? Por que ele estava rindo de mim? O que eu podia fazer?

Naquele mesmo dia, desmaiei no banheiro feminino do colégio. Eu estava fazendo uma dieta baseada apenas em água, para tentar ser aceita ou querida. Todos riram, todos assistiram, e eu só sei disso porque alguns colegas da sala me contaram.

Lembro-me de chegar em casa transtornada e de minha mãe ficar me cercando para contar.

— Calincka, você chegou parecendo que tinha visto uma assombração. E não me contou. Só implorava pra te tirar do colégio e se trancou no quarto, no escuro.

Não lembro como cheguei, mas, segundo a minha mãe, eu chorei até dormir. Na semana seguinte, fui transferida de sala, como se isso fosse a solução. Será que ninguém percebia que isso não era o suficiente para que eu agisse como uma adolescente feliz e amada? Eu repetia em voz alta: "Mantenha a esperança. Mantenha."

A turma nova era estudiosa, determinada e unida. Eu não me encaixava. Tentei fazer parte de vários grupos, mas não tinha estudado uma vida toda com eles, e eu entendia. Tinha que recomeçar e fazer novas amizades, sentar com algumas pessoas no recreio e me sentir acolhida. Eu não consegui. Algumas vezes eu era incluída, outras me tornava apenas uma intrusa. A minha salvação na nova turma foi a chegada de mais duas alunas transferidas. Eram tímidas e deslocadas, irmãs gêmeas idênticas. Tornamo-nos um trio de amigas.

Percebi que as coisas seriam diferentes e que eu poderia prestar atenção nas aulas, aproveitar o conhecimento e mostrar o quanto eu gostava de escrever. E, de repente, eu perdi as pernas quando começaram a me apelidar na nova turma. Eu poderia me refugiar no Alasca e mesmo assim me chamariam de sapo-boi; carranca; botijão de gás e, como disseram uma vez, "a do tabaco[3] que ninguém vai querer". Quando os apelidos pejorativos chegaram à nova turma, os pensamentos suicidas voltaram em segundos. Eu não suportaria mais. E não suportei. Eu tinha vergonha do meu rosto e do meu corpo. Não tirava fotografias do corpo inteiro e acreditava que era melhor não mostrar o rosto. Nas fotos, aparecia apenas a metade dele. Uma atitude ocasionada pela tortura psicológica do passado que insistia em se manter presente.

---

[3] Como explicar a palavra "tabaco" inserida naquele contexto? Pode-se acreditar que estavam falando sobre o meu cigarro e que ninguém iria querer. Mas, em Pernambuco, a palavra também pode ser utilizada no contexto "Ninguém vai querer o órgão genital dela".

CAPÍTULO 10
Corra mais que os meus gatilhos

> *"É, ele encontrou um revólver*
> *No armário do seu pai, numa caixa de coisas engraçadas*
> *E não sei nem o que aconteceu*
> *Mas ele virá atrás de você, é, ele virá atrás de você."*
>
> **Foster The People**
> *Pumped Up Kicks*

Os alunos foram chegando, e alguns ficaram do lado de fora por estarem atrasados como sempre. Tranquei a porta da sala de aula e silenciosamente me sentei. Era o dia de revisão para o Exame Nacional do Ensino Médio, o Enem, e eu só observava a hora para começar a silenciar a turma.

Abri a bolsa e o retirei com cuidado para não ser percebido. Esperei muito tempo para fazer isso. Segurando-o disfarçadamente, fui até a porta da minha sala e o primeiro disparo foi na direção de Laura. O segundo em Júnior — o menino que colava chicletes no meu cabelo. O terceiro foi na professora que estava escondida tentando fazer uma ligação, e o quarto tiro foi no garoto que disse "Te foderia por trás". Eu não me importava mais, não possuía empatia e queria a punição pelo fato de alguns alunos terem destruído a minha vontade de viver ou qualquer outra motivação. Eu disparava descontroladamente. Gritos, sangue, pedidos de socorro e lágrimas. Ninguém sairia daquela sala vivo. Nem eu mesma.

Acordei suada e tremendo. Eu nunca tive um pesadelo assim. Senti-me suja, insensível e mais imprestável ainda. Meus pais ainda estavam trabalhando. Eu pedi perdão mentalmente por sonhar com a morte dos meus colegas. Mesmo sendo meus algozes, eu não desejaria a morte deles, nem sangue em minhas mãos. Lembrei que o pesadelo poderia ter relação com o fato de ter assistido ao documentário *Tiros em Columbine* (2002), que descreve o episódio que ficou conhecido como o massacre em Columbine, ocorrido em 1999. Eu tinha nove anos quando essa tragédia aconteceu, e naquela época nunca imaginei ser vítima de *bullying*.

Buscando informações sobre a tragédia de Columbine, encontrei vários outros documentários e notícias abordando a dificuldade que crianças e jovens possuem para falar sobre a perseguição, a exclusão e a tortura psicológica que sofrem nas escolas. Existe o fato de os americanos possuírem porte de armas, o que facilita o acesso dos jovens a armas de fogo, mas ofensas e agressões dentro do campo escolar são muito mais comuns do que imaginamos. E eu sei bem sobre isso!

No dia 20 de abril de 1999, dois alunos da escola Columbine High School, Eric Harris e Dylan Klebold, planejaram um ataque à escola com o intuito de matar todos os alunos. Produziram bombas caseiras com propano, realizaram um roteiro de cinema, assassinando doze alunos e um professor. Algumas bombas não funcionaram, dando a oportunidade dos outros jovens escaparem do local. O massacre foi eternizado no documentário *Tiros em Columbine*, realizado por Michael Moore, e no filme *Elefante*, de Gus Van Sant. Ambos alertam para o perigo da legalização de armas e comportamentos agressivos de crianças e adolescentes no ambiente escolar. Fui apresentada a uma palavra cujo significado preferia não saber: *bullying... Bullying...* Eu sou mais uma vítima do *bullying.*

CAPÍTULO 11

Encontrando a paz nas cordas

"Eu não ligo se isso machuca
Eu quero ter o controle
Eu quero um corpo perfeito
Eu quero uma alma perfeita
Eu quero que você perceba
Quando eu não estiver por perto
Que você é especial para caralho
Eu queria ser especial."

Radiohead
Creep

Eu estava copiando as anotações do caderno de uma colega de sala. Os professores apagavam rapidamente, e eu não era o The Flash para acompanhar. Pedi para Catarina o caderno dela e disse que entregaria depois do sinal para entrar na sala de aula. Ele se aproximou e me assustei. Sentou do meu lado, e eu já estava preparada para dizer que não falava mais com as meninas da "Turma C" ou para pedir para não falar algo que me fizesse desistir de tudo.

— Oi, todo sábado e domingo tem um lugar lá na Areia Branca. Queria que você fosse. Você vai? A gente se encontra lá.

Era um dos meninos mais bonitos do colégio falando comigo? Ou os remédios controlados estavam me fazendo ter alucinações? Não, eu acho. Algumas pessoas passavam, olhando com curiosidade, e só assim percebi que ele era real. Fechei a mão para esconder as unhas com esmalte descascado e com muita vergonha perguntei se era sério.

— Sim, Calincka. É sério — ele respondeu já sem paciência.

Naquele momento, voltei a acreditar nas princesas da Disney. Eu respondi que sim, e ele pegou meu número e meu MSN. Era oficial, eu teria um "feliz para sempre". E já imaginava as fotos de nós dois para colocar no perfil do Orkut, escrever depoimentos e enviar beijos por Buddy Poke[4].

Eu obriguei a minha mãe a comprar uma roupa nova. Com um dinheiro que era para pagar algumas contas, ela me deu um vestido lindo, floral e rodado. Fui até o local marcado, em um barzinho, no bairro Areia Branca, em Petrolina/PE, e reconheci vários rostos do colégio. Alguns me olhavam rindo, como sempre fizeram. Nada mais que a rotina. Encontrei o Guilherme e ele acenou. Fui até ele e bebi a cerveja que me ofereceu. Achei horrível. Foi a primeira vez que ingeri bebida alcoólica. Fingi costume e continuei bebendo o líquido amarelo e amargo.

Estava me sentindo bem, incluída e querida. Fui pega de surpresa ao ser beijada repentinamente por Guilherme. Quando me soltou, me libertando do seu beijo, ouvi a sua risada e achei linda. Gesticulou para alguém atrás de mim, como se estivesse fazendo um sinal de positivo. Olhei para trás e só então registrei a presença de três meninos e duas meninas do meu colégio. Comecei a suar frio, porque eram os meus algozes.

— Rapaz, tu pegou mesmo a carranca. Ô coragem. Agora vou ter que pagar. Filho da mãe.

Eu ainda não tinha entendido. Eu não queria entender, porque era doloroso. *A carranca. Pagar. Coragem.* Comecei a chorar e me afastei de umas meninas que dançavam até o chão, chão, chão... Ele me alcançou e pediu desculpas. Eu não aceitei as desculpas, mas aceitei a carona para casa. Não queria voltar chorando no ônibus. Ele pediu perdão o caminho inteiro e tentou dizer que aceitou a "brincadeira" porque queria me beijar de verdade. Nada do que ele dissesse me faria sentir algo bom. Na avenida que chega ao meu bairro, há um motel. Ele olhou e perguntou se eu era virgem. Eu chorei mais ainda.

— Você é virgem, certo? 2009 e você ainda é virgem? Uau, mas é por ser feia?

---

[4] *Buddy Poke* eram bonequinhos com as nossas características — e possuíam vários estados de humor — na antiga e extinta rede social chamada Orkut.

Deu para perceber que Guilherme não era nenhum príncipe encantado. Não se assemelhava em nada com os tipos de homem criados por mentes sonhadoras, repassados de mães para filhas.

Eu tinha acabado de completar dezenove anos, não bebia, não dançava na boquinha da garrafa e só pensava em sair do colégio e passar logo num vestibular. No Ensino Médio eu não era a garota popular, não era a garota engraçada, não era a garota que já transava. Eu era mais um rosto infeliz que ia para o colégio particular com a farda incompleta, só para ser repreendida e voltar para casa. Era a carranca.

Pedi para sair do carro, ele disse que iria me deixar na porta de casa, recusei. Desci ali mesmo. Peguei o ônibus e fui para casa. Naquela noite eu me puni, me cortando, abaixo dos seios, com a gilete que estava escondida na minha maleta de bijuterias. Eu não conseguia parar de ouvir em minha mente "2009 e você ainda é virgem? Uau, mas é por ser feia?". Quando a água e o sabonete batessem nas feridas abaixo dos seios, eu iria esquecer a voz de Guilherme.

No dia seguinte, fui para a escola. Pensei em dar um abraço em algumas pessoas e contar o que aconteceu, mas lembrei que não tinha amigos. Meus pais trabalhavam e chegavam em casa pela tarde. Eu tinha muito tempo para calcular e executar. Retirei as cordas da rede do meu pai e peguei todos os comprimidos que havia pela casa — inclusive os remédios para dor muscular e artrite do meu pai. Amarrei a corda em uma viga de madeira, subi no banco e o empurrei. Após algum tempo, ouvi seus gritos de socorro enquanto ela segurava as minhas pernas para que eu não fosse asfixiada. Mais tarde, quando eu estava mais calma e sonolenta por causa do sedativo, minha mãe alisou meu rosto e pediu que eu não fosse embora. Estávamos em uma sala branca com cheiro de álcool. Percebi que eu estava em uma cama reclinável. *Estou em um hospital*, pensei.

— Você tem uma missão. A gente não sabe qual é, mas você morreu várias vezes. Nasceu prematura e sobreviveu. Aos três anos ficou em coma por vinte e sete dias. Me disseram que você não acordaria. Você acordou. Por favor, não se vá.

A minha mãe continuava a implorar, mas eu não poderia prometer. Um suicida sem acompanhamento psicológico não para.

CAPÍTULO 12
Que sapato horrível!

"De alguns erros
É mais difícil de se recuperar
E eu sinto falta dos dias
Em que eu podia pegar minha maquiagem
E colocar minha máscara corajosa."

Birdy
Hear You Calling

Ainda escondem fios, facas, cordas, giletes — tenho que fazer a depilação com cera —, e, sempre que peço um martelo para colocar as prateleiras no meu quarto, meus pais me vigiam. Só tenho acesso a uma agulha para costurar algo. Tornou-se um hábito engraçado observar eles tentando disfarçar que estavam me vigiando.

Em 2010, passei em Jornalismo no vestibular da Universidade do Estado da Bahia (Uneb) — minha família estava orgulhosa, e eu também. Era um novo mundo. Um novo espaço. Eu me encaixei, e foi inexplicável. Infelizmente, ainda carregava sequelas do Ensino Médio. Insegurança, medo, tristeza e culpa por não estar dentro do padrão de beleza. Refém de um passado, acabei acreditando que precisava vestir uma máscara social. A *Calincka engraçada* empurrou a *Calincka triste* para um canto e começou a ser adorada. Pessoas depressivas nunca são detectadas porque conseguem se misturar na multidão.

Na faculdade, me enturmei com pessoas depreciativas e críticas, e encantada com o ambiente fui tola e me tornei uma delas. Falávamos mal das roupas e dos sapatos de todas as meninas. Observávamos quem tirava boas notas e criticávamos simplesmente definindo-os como o "Grupo dos Dez". Era assim que chamávamos uma panelinha formada por Lara, Lin, Gi, Alê e Akemi. Eu não tinha noção de que estava fazendo *bullying* ao concordar com eles. Porém, quando Jéssica abriu a boca para falar diretamente para Lara que o sapato dela era feio, recebeu um fora que vibrei por dentro. Um dia eu cheguei na sala com uma blusa que todo mundo achava linda e recebi várias críticas de Jéssica, que se fazia de "amiga". Não era a primeira vez, nem seria a última.

Quando ela descobriu que eu estava namorando um cara bonito, surtou. Começou a olhar minhas fotos com o meu namorado na época, e a inveja transcendeu. Percebi que era maldade quando ela soltou: "Ele vai te largar. Ele é bonito demais. E suas roupas parecem um roupão". Afastei-me dela e de outros, e todas as vezes que olho para ela fico triste por ela não entender que o *bullying* mata e a torna uma pessoa infeliz. Ela estava infeliz.

Uma breve observação: o Grupo dos Dez me aceitou logo depois em sua "panelinha", me estendeu a mão e me fez muito bem.

CAPÍTULO 13
Mensagens visualizadas

"Você olhou, fez que não me viu
Virou de lado, acenou com a mão
Pegou um táxi, entrou, sumiu
Deixou o resto de mim no chão."

Paralamas do Sucesso
Fui eu

Aparecida Lourdes
Vocês são amigos no Facebook
Autônomo
Mora em Petrolina

Você, 26/08, 11:01
Bom dia, Aparecida. Tudo bem? Acho que você acompanhou a repercussão, e eu estou produzindo um livro-reportagem sobre bullying. *Como educadora, você acompanhou as minhas artimanhas para não ir ao colégio. Eu queria te encontrar para fazer algumas perguntas, e seria muito bom revê-la!*

Você, 02/09, 12:24
Aparecida, queria esclarecer que não é nada relacionado ao processo ou a você. É sobre a minha imagem. A Calincka do Ensino Médio, e sobre Camilla.

Depois dessa última mensagem, ela mudou a foto do perfil no Facebook, mas não me respondeu.

CAPÍTULO 14
Remetente

> *"Ainda lembro que eu estava lendo*
> *Só para saber o que você achou*
> *Dos versos que eu fiz e ainda espero*
> *Resposta."*
>
> **Skank**
> *Resposta*

Eu pedi ajuda, mas não para meus pais. Como eles pagariam um psicólogo para mim e comprariam os medicamentos? Estavam endividados, com direito a juros e empréstimos para pagar novos empréstimos. Apenas dois salários não dariam conta de um acompanhamento com um profissional. Guardei. Como sempre faço, guardei o meu desespero para outro momento.

Eu gostava de escrever e ler, era a minha válvula de escape. Eu escrevia melhor que os colegas de sala — quanta petulância, dona Calincka — e só não faltava em duas aulas: português e literatura. Eu não podia demonstrar que gostava e acabava tirando notas vermelhas para perceberem que eu era má aluna ou doida mesmo por tirar um ponto nas matérias mais interessantes. Infelizmente, achavam que era uma árvore e teria que criar raízes no colégio. Na época, eu fazia novenas, promessas e orações para me livrar do *bullying*. Só não fiz um pacto demoníaco porque nunca conheci ninguém que utilizou esse método e deu certo.

Escrevi uma carta após chorar muito no banheiro, quando chutaram meu copo de refrigerante no intervalo. Eu o colocara ao meu lado para morder um misto quente. O garoto pediu desculpas e saiu rindo. Mandaria a carta para uma professora, Joana, e eu tinha a convicção de que ela me ajudaria. Coloquei a carta na bolsa dela, estava animada para receber ajuda e apoio. Como eu era inocente! Ela nunca respondeu, mas eu não preciso mais do apoio dela nem de qualquer funcionário que tenha ligação com o meu ex-colégio.

Ouvi uma "Aleluia"? Ouvi. Tentei entrar em contato com ela por terceiros, mas obtivemos apenas "fenos rolando em nossa direção e sons de grilos". Mandei mensagem para Aparecida Lourdes, ex-coordenadora do Colégio Dom Bosco, a que dizia à minha mãe que eu era um problemão.

— Ela é tão diferente da irmã e dos primos! — dizia Aparecida à minha mãe.

Claro que era, eu sofria *bullying* e eles, não. Se a minha mãe fosse chamada dez vezes para ir ao colégio, a culpa seria sempre minha. Se um pombo fizesse as suas necessidades no carro de algum professor, a culpa seria de Calincka Crateús.

Duvidar do intelecto das pessoas é errado. Os estereótipos e as expectativas de que os alunos tirem a maior nota possível e passem direto para a faculdade são uma piada, principalmente quando eles estão sofrendo. Não deveriam preparar os adolescentes apenas para o vestibular. Eles precisam ser ensinados a ser mais humanos, empáticos e tolerantes. O silêncio de Aparecida e Joana para mim bastava. Já era uma resposta, um argumento. Talvez Aparecida não tivesse palavras suficientes para pedir desculpas. Sem perceber, naturalizavam o *bullying* ao repetirem as frases "É coisa de criança", "Todo mundo já passou por isso" ou "É só uma fase, vai passar".

Não há calmaria nem inocência nas agressões físicas ocasionadas em qualquer local. Se fossem apenas "brincadeiras", como alguns professores consideram ao ignorar um pedido de socorro, não teríamos tantos jovens com depressão ou uma grande porcentagem de suicídios cometidos por adolescentes. Eu só queria que elas e milhares de outros educadores entendessem que, se continuarem aceitando o *bullying* como algo normal, teremos, infelizmente, sempre um divertimento que mata.

Em uma conversa rotineira com uma professora da universidade, Ana Paula, falávamos sobre qual oficina iríamos assistir no IV Encontro de Comunicação do Vale do São Francisco (Ecovale).

Era um evento anual, em que professores e estudantes do curso de Jornalismo trocavam as aulas por palestras e oficinas na área da Comunicação Social. O tema do ano de 2016 era empreendedorismo e assessoria de comunicação. Aconteceriam oficinas sobre livro-reportagem, assessoria, redes sociais e empreendedorismo no mercado da comunicação. Veio um estalo em minha mente, e eu perguntei se seria interessante acrescentar o *bullying* como um tema para os alunos de Pedagogia e Jornalismo. Ela comprou a ideia.

Um dia antes do evento, ela me avisou:

— Calincka, serão duas tardes.

Eu estava nervosa e ao mesmo tempo ansiosa para falar sobre o *bullying*. Na verdade, estava suando frio, porque eu era apenas uma estudante de Jornalismo que aparecera em rede nacional. Fiquei calma e lembrei de alguns versos da música "Heartlines", da banda Florence and Machine. "Apenas continue seguindo as linhas do coração na sua mão. Continue, eu sei que você consegue."

Quando entrei na sala para apresentar a ementa da oficina e discutir o *bullying* no ambiente escolar, havia apenas quatro pessoas. Não me assustei com a "enorme" quantidade de interessados. Afinal, quem quer falar sobre agressões físicas e verbais dentro das escolas, todos os dias? Eu quero, e não apenas porque sofri. Há crianças e jovens precisando de ajuda neste exato momento em que escrevo. Com a petulância de uma palestrante em início de carreira, comecei a apresentação sobre o tema. Empenhei-me porque a minha mãe estava presente — eu a levei para que pudesse entender de modo coerente a definição da palavra *bullying* e suas consequências —, e ela estava orgulhosa. Fui pega de surpresa quando descobri que na sala havia um pesquisador e graduando em Pedagogia e três alunas de Psicologia da Universidade Federal do Vale do São Francisco (Univasf) interessados no tema. Os desabafos e debates me encantaram, e pela primeira vez na vida eu senti que estava realmente seguindo as linhas do coração na minha mão.

A oficina me proporcionou o conhecimento de informações que eu não possuía, fiz amizades com pessoas com quem eu realmente poderia conversar, e trocamos várias informações.

Descobrimos que todos e todas éramos vítimas. Um dos assuntos mais recorrentes foi a falta de capacitação dos professores, em Petrolina/PE e Juazeiro/BA, para lidar com o *bullying* e seus possíveis modos de prevenção.

Após dias de expectativas, por e-mail, descobri que a Prefeitura Municipal de Juazeiro simplesmente não deu continuidade às propostas delineadas pelo projeto apresentado para o Combate à Intimidação Sistemática (CIS) — programa decretado pela presidência da República. Os responsáveis se limitaram a afirmar que há apenas atos de conscientização em seis escolas da cidade. São 133 escolas em Juazeiro, e apenas seis apresentam ações em favor do CIS, dando continuidade ao promover vigilância diante do problema que se tornou um caso de saúde pública.

Em uma pesquisa *on-line*, percebi que o Município de Petrolina/PE também precisa de um olhar atento nas escolas municipais. Apenas a Vara da Infância e Juventude dessa cidade realizou o Projeto de Prevenção de Violência nas Escolas. São quarenta e cinco escolas assistidas pelo plano, lançado em 25 de agosto de 2016, que visa à capacitação de gestores nas escolas, professores e pais de estudantes. Entrei em contato com a Vara da Infância e Juventude de Petrolina para obter mais informações, e depois de dias de espera eles me responderam que o programa só seria efetivado em 2017. Nessa fase, eles se limitavam a fazer o diagnóstico do *bullying* nas escolas da região. Não ficou claro, apesar das perguntas, como eles estavam desenvolvendo isso. Nem acreditei. Há um projeto, mas a espera para que ele fosse executado parecia não acabar, e enquanto isso o *bullying* continuará fazendo mais vítimas. A pesquisa realizada pelo Instituto Brasileiro de Geografia e Estatística (IBGE) apresentava que, em 2015, "um em cada cinco adolescentes pratica *bullying* no Brasil". Teremos que tirar apenas um dia no mês para falar sobre o tema? Algum adolescente pode esperar a duração de um mês para ouvir que não está sozinho e desamparado? Ou saber que há uma lei sancionada, desde novembro de 2015, para combater o *bullying* em todo o território nacional?

Estão esperando o que para darem continuidade a projetos de conscientização dinâmicos sobre o *bullying*?

  Atrasos, uniforme incompleto, notas baixas, lanchar no banheiro durante o intervalo, eram especialidades minhas na escola. Lembro-me de sempre chegar cedo, mas esperava fecharem o portão e não conseguir autorização para entrar. Eu ficava perambulando pelo centro da cidade, em Petrolina, até o horário de saída dos alunos porque assim meus pais acreditariam realmente que fui à escola.
  Essa tática funcionou por quatro dias. Depois, fizeram as chamadas e perceberam que eu não estava indo para o colégio. Pelo menos foram os dias mais calmos da minha vida. E mesmo faltando às aulas, ninguém tinha a percepção de que eu precisava de ajuda. E, se alguém teve, não iria se manifestar por ser funcionário ou professor, mas, se ofensas são feitas dentro da sala de aula e na presença de um professor, é óbvio que ele deve interferir.
  Durante uma aula de português, jogaram talco no meu cabelo e a solução veio em forma de "Saiam da sala os dois". Saí. Se a professora tivesse ao menos o cuidado de perguntar quem jogou talco em quem, essa lembrança não teria me marcado. Se as prevenções das escolas contra o *bullying* forem apenas tirar um aluno da sala de aula, sem haver nenhum tipo de diálogo ou comunicação, estaremos cada vez mais fadados a ter uma sociedade repleta de pessoas depressivas e lugares ocupados por outras que não possuem motivos para resistir à vida.

CAPÍTULO 15
Já não se fazem japonesas como antigamente

> *"Será que é tempo que lhe falta para perceber?*
> *Será que temos esse tempo para perder?*
> *E quem quer saber? A vida é tão rara*
> *Tão rara."*
>
> **Lenine**
> *Paciência*

Estava analisando o local aconchegante e silencioso, que, por incrível que pareça, era o único local no shopping sem barulho. Era convidativo e o cheiro de café ocupava todo o espaço. Esperava Sakura para uma entrevista descontraída com direito a um *cappuccino*.

Mandei uma mensagem para avisar que já a esperava no lugar combinado. Conhecemo-nos durante um trabalho proposto em uma disciplina do curso de Psicologia na Univasf. Fui convidada a assistir ao documentário *Escola: eu sobrevivi* (2016), porque havia colaborado, falando como o *bullying* me prejudicou. Naquele dia, soube que Sakura havia estudado no mesmo colégio que eu e sofrera agressões físicas até a quarta série.

Eu tinha terminado de tomar o café, quando ela chegou. Estávamos sem jeito porque iríamos confidenciar acontecimentos do passado e eu sabia que seria triste para ela e para mim. Comecei perguntando sobre a sua vida, para depois partir para o motivo principal da nossa conversa. Ela pediu café também e começou a contar a sua história como vítima de *bullying*.

— Na primeira série, eu apanhava todos os dias. Agarrava-me nas pernas da professora e pedia para ela ficar comigo até a minha irmã me buscar — Sakura começou o relato e eu não tinha o que dizer, só conseguia visualizar a cena. — Eu me lembro dos nomes, estávamos na primeira série, mas eu lembro dos nomes e sobrenomes das meninas que me batiam. Porque me marcou e eu não tinha para quem contar.

Sakura é nissei e, em razão de sua cultura, é mais reservada. Ela preferiu se calar e não contar sobre as agressões físicas que sofria no colégio particular.

— Eu também usava saia porque meus pais eram evangélicos e acabava recebendo piadinhas ofensivas. Uma vez, na aula de educação física, pegaram a minha saia e saíram correndo com ela. Esconderam. E eu ainda lembro. Na adolescência, tive muitos pensamentos suicidas e já cheguei a ir até a ponte.

A ponte a que Sakura se refere é a que liga Petrolina/PE a Juazeiro/BA, duas cidades banhadas pelo rio São Francisco. Eu conheço esses pensamentos suicidas e esse desejo de se libertar caindo de braços abertos no rio. Várias vezes pedi para amigos pararem na mesma ponte, principalmente quando voltávamos de festas. A ideia era simular vontade de vomitar e esperar que eles acreditassem. Então seria a oportunidade para correr e pular. Eles nunca pararam. No máximo, ofereciam saquinhos. Eram espertos e percebiam, de cara, quando eu tentava mascarar a tristeza.

— Eu me acho feia e gorda, sou insegura e inassertiva — desabafou Sakura entre um gole e outro de café.

Ela está falando sério? Se acha feia? Gorda? A cultura do *bullying* a fez descer até a percepção de seus agressores. Ela não consegue ver a si mesma com clareza. Não consegue ver sua real beleza.

— No nosso colégio, sempre terá alguém para contar que sofreu uma agressão física ou verbal, não há uma dedicação para ajudar as crianças.

— Sim, não há. Nem tudo se resolve dentro da sala da coordenadora ou conversando com um padre. Que Deus me perdoe, mas como é que um padre vai me ajudar a esquecer que um garoto só me pegaria por trás? — ela continuou com o desabafo e disse que lembrava de mim no colégio.

— Eu tenho um trauma e um medo tão grande que não consigo nem olhar para a escola. Ou reencontrar alguém que estudou comigo — e, resgatando ainda mais as lembranças, prosseguiu: — Uma vez tirei nota baixa e o professor virou para mim e disse "Não se fazem mais japonesas como antigamente". A ofensa vinda do próprio professor me marcou também. Ele estava duvidando e julgando o meu intelecto.

Senti raiva. *Bullying* por causa de etnia? Nossa, ele era o professor do colégio e supostamente estaria integrado à missão de "Desenvolvimento do pensamento humanístico-religioso e dos diversos setores socioculturais petrolinenses", que era ostentada no gabinete da direção da escola. Como um professor é capaz de falar isso? Todos estão ali para receber conhecimento, e não críticas. Sofrer *bullying* já é difícil, e, quando as ofensas partem de um educador, a dor parece ficar ainda maior.

Sakura terminou o café e falou que eu era muito forte. Ela não teria feito a mesma coisa. Ficamos em silêncio, refletindo. Passou pela minha cabeça que eu não estava sozinha e que houve muita omissão e ausência de sensibilidade naquela escola.

CAPÍTULO 16
A voz

> *"Mostre-me um sorriso, então*
> *Não fique infeliz, não me lembro*
> *Quando foi a última vez que vi você sorrindo*
> *Se este mundo te deixa louca*
> *E você aguentou tudo que consegue tolerar*
> *Me chame*
> *Porque você sabe que estarei lá."*
>
> **Cyndi Lauper**
> *True Colors*

Eu estava no oitavo período da faculdade, quando a nova turma entrou no curso de Jornalismo. Eles não eram mais "feras" da minha turma. Já estávamos de saída, e fazer trotes com eles daria muita confusão. Até hoje sei poucos nomes.

Luiz acabara de entrar na faculdade. Minha primeira impressão sobre ele era de que estava diante de um menino tímido e estudioso. Falamo-nos poucas vezes, mas sempre arranquei dele gostosas gargalhadas pelos corredores, descrevendo situações da minha vida.

Eu consegui me adaptar em qualquer turma da faculdade. Utilizei o meu bom humor para conquistar as pessoas — mas isso não dá certo na vida amorosa, infelizmente. Pensam que sou doida. Essa mudança no meu comportamento não é forçada. Na faculdade, eu podia ser quem eu era. Quem eu sou.

Acredito que, com a passagem dos semestres, Luiz também tenha percebido que ele poderia ser quem realmente é. O único obstáculo dele era a timidez, então o deixei escrever para mim pelo Facebook, quando perguntei na sala de aula se alguém tinha sofrido *bullying* e queria dividir a história com uma jornalista. Seria mais para todos e todas desabafarem e eu, de certa maneira, não me sentir muito sozinha.

Abri o arquivo que ele me enviou dois dias depois da minha sugestão — utilizo o Messenger como uma espécie de muro das lamentações, e isso é bom — e percebi que fiz o certo. Eram três páginas falando sobre o *bullying* que sofrera nas escolas particulares de Petrolina/PE. Fiquei impressionada com a dedicação ao narrar algumas situações constrangedoras que passou em decorrência da perseguição repetitiva e diária. Em um dos parágrafos, eu entendi o motivo de Luiz apresentar uma postura séria e falar só o necessário.

> *Na quinta série (ou sexto ano), ganhei uma bolsa de estudos e fui transferido para o antigo Geo Petrolina, onde estudei todo o Fundamental II e o Ensino Médio. Eu sempre fui dois anos mais novo que os meus colegas, já que fui adiantado duas vezes na Educação Infantil. Isso provocou um choque maior com os meninos desse novo colégio, que passaram a zombar de mim por ter uma voz mais fina (na verdade, até hoje, quando eu digo "alô, alô" numa conversa por telefone e a pessoa não sabe quem sou eu, geralmente me chamam de senhora).*

Luiz compartilhou outras situações constrangedoras no seu texto, como no dia em que abaixaram a calça dele e ficou de cueca na frente de todos no colégio. Enquanto lia as três páginas do seu desabafo, eu tentava adivinhar como superou ou se ele tentou superar. Estava claro que ele sofria mais perseguições do que aquelas que me descreveu. Várias vezes, eu me deparei com a frase "Eu não lembro muito bem" no seu texto. Percebi que havia outras situações constrangedoras relacionadas ao *bullying*. Não estou insinuando que ele não quisesse contar. A verdade é que a nossa mente bloqueia ou apaga alguns acontecimentos para que possamos sobreviver ou seguir em frente. Talvez ele possua um método de esquecer alguns acontecimentos. Eu deveria perguntar. Queria muito aprender.

Ainda entro em pânico quando alguém puxa o meu cabelo ou me abraça por trás. É como se eu voltasse no tempo e estivesse no bebedouro, vendo as grades brancas e revivendo aquele momento em que o menino me humilhou. Eu desenvolvi um bloqueio emocional para me proteger e acredito que Sakura e Luiz tenham feito o mesmo.

No mesmo local onde conheci Sakura, em uma aula sobre transtornos psicossociais na Univasf, um jovem chamado Leonardo desabafou falando que sofreu *bullying* por apresentar o aumento das mamas durante o Ensino Médio. Por sofrer a tortura psicológica e o machismo de família e "amigos", realizou a ginecomastia, um procedimento cirúrgico para retirar as glândulas mamárias que acumulam gordura por diversos fatores (aumento de peso, uso de anabolizantes e até mesmo maconha)[5]. Nos sites que pesquisei sobre a ginecomastia, descobri que a procura pela cirurgia é maior por homens em virtude do preconceito e do *bullying* que sofrem. Consigo imaginar as piadas feitas. "Tem mais peito que eu", "Sai leite?".

Conheci Akira pela rede social Facebook. Conversamos algumas vezes sobre várias situações, principalmente o *bullying* que sofremos. Por WhatsApp, ele me mandou uma mensagem para nos encontrarmos no shopping de Petrolina e fez questão de comprar um sorvete para mim, como prometera várias vezes nos *chats*. Recebi o sorvete e ri daquele ato. Conversamos sobre as nossas vidas e sobre o trabalho — a pesquisa em extensão sobre a Medicalização da Educação e da Sociedade, que estava realizando na Univasf — e a vida amorosa. Amenidades por horas até ele sugerir que podíamos começar a entrevista.

Akira é divertido e contou sobre a infância e como é nascer e viver fora do Japão, mas na cultura japonesa. Ele nasceu no Brasil

---

[5] Na adolescência, é normal os meninos apresentarem o aumento de mamas, principalmente na fase de crescimento.

porque seus pais vieram residir em São Paulo, Paraná, Bahia e agora estão em Teresina, no Piauí. Quando criança, não conseguia perceber que era vítima de *bullying* por vários motivos.

— Por ter uma vida mais simples, até as crianças japonesas me excluíam. Essa exclusão durou por muito tempo. Até hoje sofro piadas como "Abre o olho", "É verdade que os japoneses possuem pênis pequeno?". Tento não ligar, mas há horas em que magoam ou me chateiam.

Ouvindo a história de Luiz, Akira e Leonardo, refleti que, entre os grupos de meninos, é cultuado um machismo, muitas vezes passado de pais para filhos, para que todo aquele que apresente alguma "feminilidade" seja excluído e humilhado socialmente. Luiz se sente incomodado com a própria voz, Leonardo realizou um procedimento cirúrgico para retirar "seios" e Akira se defende das piadas sobre seus órgãos sexuais, simplesmente ignorando-as. Todos os três encontraram uma maneira diferente da minha para lidar com o *bullying*, mas experimentaram como é ter a infância e a adolescência roubadas por pessoas ignorantes. Infelizes!

Jéssica é chamada de bela por sua família, mas ela nunca acreditou. A insegurança e a baixa autoestima se enraizaram quando ela sofreu perseguição na escola. Ela falou sobre isso na oficina sobre *bullying* que organizei no Ecovale. O debate já estava caloroso, ela chegou atrasada, com duas amigas, e eu me senti aliviada porque na sala havia poucas pessoas. Foi perdoada pelo atraso assim que compartilhou como se sentia diante de um elogio.

— A minha mãe fala que sou linda, me chama de bela e eu fico com raiva porque não acredito — fala Jéssica se sentindo culpada.

Eu compartilho da mesma desconfiança. Não consigo receber elogios. É como se estivesse sendo torturada. Eu não consigo acreditar. Senti uma forte conexão com o depoimento de Jéssica.

É difícil, até hoje, acreditar que alguém possa me achar bonita ou interessante o suficiente. Às vezes, alguém fala "Como você está linda!", e eu fico pensando que estava feia nos outros dias em que nos encontramos. "Que pele bonita!", "Que cabelo perfeito!". O meu maior desafio é acreditar que alguns homens me achem interessante o suficiente para se aproximarem.

      Os anos de perseguição e o incidente entre as grades brancas arrancaram de mim a segurança, a autoestima e fizeram eu me sentir indesejada e não amada. Eu não acreditava que um dia encontraria alguém que me pedisse em namoro.

CAPÍTULO 17
Xeque-mate

"Eu tenho visto fogo e chuva
Tenho visto dias ensolarados que eu pensei que nunca
acabariam
Tenho passado horas solitário quando não consigo
encontrar um amigo
Mas eu sempre pensei que eu veria você de novo."

James Taylor
Fire and Rain

Durante os exercícios, na quadra de esportes do nosso colégio, ele me protegia se alguém tentava me magoar. Tinha treze anos e, quando as ofensas verbais me alcançavam, eu saía do jogo tentando não chorar ou lutando arduamente para manter a dignidade. Eu não queria ser obrigada a participar de Educação Física no colégio por vários motivos. Era preciso usar um short azul-marinho horrível que cobria os joelhos. Como se essa parte do corpo fosse algo sexy ou violasse a inocência da família tradicional brasileira. Confesso que a mistura de uma Calincka com essa peça de roupa era uma poluição visual, mas éramos crianças. E como já sabíamos o que ficava belo e feio em uma pessoa? Como eu sabia? Em casa, eu sabia porque a minha mãe dizia "Não ficou bom em você". E os meninos percebiam que as meninas que eles veneravam cortavam ou faziam bainhas. Geralmente, o nome do colégio ficava cortado: "COLÉGIO DOM BOS".

    Camilla estava doente, fraca e voltando sempre para o hospital. Um dia ela recebeu alta pela manhã, mas voltou a ser internada pela tarde, e isso não era bom. O que eu podia fazer para não ter que frequentar essa aula humilhante e dar atenção à minha irmã? Eu tinha algumas opções: fingir um desmaio, cortar o short ou falar com Danilo. Como eu fiquei em dúvida, achei melhor fazer as três opções.

Danilo não era professor. Ele estudava na minha sala e jogava futsal. Era um dos melhores e ainda tinha tempo para ser agradável e gentil comigo. Claro que não fiz a nossa família no jogo *The Sims 3*, porque era 2003 e o game ainda nem existia. Eu não precisava passar as respostas certas das provas para ele ser legal comigo (nunca me pediu cola). Era natural a nossa amizade, mas nada íntimo como frequentar a casa um do outro ou confidenciar algo. Posso dizer que ele era apenas alguém que apareceu para me ajudar a suportar.

Estrategicamente, eu pedi a Danilo para colaborar comigo na encenação. Simplesmente, eu iria deitar no chão com a mão no peito e fechar os olhos, enquanto ele iria chamar o professor Marquinhos para ajudar. Bom, eu acho que deu certo, pois no dia seguinte recebi um papel dizendo que eu não estava apta para participar de atividades físicas e que iria jogar xadrez.

Eu gostaria de relembrar essa história com Danilo, mas ele mudou de escola e perdemos o contato. Em 2006, ele saiu com alguns amigos para uma festa, na volta o carro capotou e caiu em um canal perto de Pedrinhas/PE. Danilo conseguiu sair das ferragens do carro, mas voltou para salvar uma amiga e acabou ficando preso mais uma vez. Ele morreu afogado. Danilo, que me defendeu da perseguição na sala de aula e na quadra de esportes, morreu aos dezessete anos.

Eu não consegui dormir, estava pensando em Dandan — o apelido carinhoso que os amigos deram para ele — e em sua família. Será que eu os encontraria na internet? Eu só lembrava um sobrenome. Iniciei a busca pelo irmão dele nas redes sociais. Tentei vários tipos de combinações de nome e sobrenome. Nada no Facebook, nada no Twitter e nada no Google. Mandei uma mensagem para uma amiga que estudou com Danilo no outro colégio, e ela mencionou o Instagram do irmão.

Comecei a procurar e o achei. Quase treze anos depois, eu deveria contar o que Dandan fez por mim? Não seria uma intrusa na "Criação do silêncio" da família dele? Eu precisava contar, porque era uma questão de saudade e gratidão. Danilo fez tão pouco por mim e conseguiu escapar do bloqueio e do filtro da minha memória. Mandei uma mensagem para o irmão pelo Instagram.

> *Ei, boa noite. Me chamo Calincka e estudei com Danilo no Colégio Dom Bosco. Na época, eu era amiga dele e uma vez ele teve uma atitude linda comigo. Eu sofria bullying na quadra de esportes do CDB, ele me defendia. Eu precisava compartilhar isso porque recentemente fui alvo de bullying novamente. Quero dizer que tínhamos treze anos de idade, mas eu ainda lembro do Danilo me defendendo e essa lembrança eu vou guardar para sempre. Desculpe por te importunar.*

Alguns dias depois, o irmão de Danilo me respondeu. Eu suspirei aliviada por não ter sido ignorada e por ver que tinha feito o certo. Ele agradeceu e compartilhou comigo que também tinha sofrido *bullying* no mesmo colégio. Não seria surpresa para mim e Sakura, já que parecia uma matéria na grade escolar. "Vou ficar de recuperação na matéria Sofrer *Bullying* II". Com certeza eu tiraria dez.

5 de julho de 2013

Espero você em breve. Para ser sincero, queria que nesta correspondência que você recebeu estivesse um comprovante de uma passagem aérea. Infelizmente não pude nos agradar nisso. Desculpe-me mais uma vez. Sei sobre a nossa necessidade e esse sentimento saudoso, mas tudo vai correr bem. Principalmente o tempo. E que a gente se reencontre o mais cedo possível.

Com insuportáveis saudades, Enzo

CAPÍTULO 18

Passagens aéreas

"Então, aqui estou para brindar no escuro
Ao final da minha estrada
E estou pronta para sofrer
E pronta para ter esperança
É um tiro no escuro mirando direto na minha garganta
Pois buscando pelo paraíso, encontrei o demônio em mim."

Florence and The Machine
Shake It Out

Em 2010, Enzo mandou uma solicitação de amizade, e eu aceitei. Lembro de olhar as suas fotos postadas e pensar: *Que lindo!* Na época, eu tinha vinte anos e ele também. Ele começou a comentar em todas as minhas publicações e percebi o seu interesse ao comentar em uma foto minha "Pena que mora longe e me ignora", mas ele também morava longe, especificamente em Minas Gerais.

Eu nunca tinha recebido tanta atenção como ele fazia. Começamos a flertar. Conversamos durante três meses por cartas (sim, algo que não seria excluído com o tempo), Skype, Facebook, MSN e Twitter. Utilizávamos todas as redes sociais, tentando preencher a ausência do beijo, do abraço e do sexo. Eu o pedi em namoro no quarto mês e ele respondeu com "Ué, pensei que já estávamos namorando". Eu já estava no segundo período de Jornalismo, desisti de algumas disciplinas e pedi adiantado o dinheiro da formatura aos meus pais para ir a Minas Gerais. É claro que fui chamada de doida, louca, pirada e esquizofrênica. Eu me ajoelhei diante da minha mãe, pedindo apoio e cumplicidade para encontrar o único garoto que me desejava e queria se relacionar comigo.

— Mainha, ele me acha bonita. Ele não é uma má pessoa e a família dele fala comigo por MSN e Skype.

— Se algo acontecer com você, ninguém irá me perdoar.

— Mainha, ele me faz feliz.

O certo é que eu convenci minha mãe a me deixar viajar sozinha, para um Estado em que eu não conhecia ninguém e para a casa de uma pessoa que eu nunca vi pessoalmente. Hoje, eu percebo o tamanho da minha loucura e a coragem de Ivone Crateús ao me apoiar. Com os rumores de que eu passaria dois meses na casa de um garoto que conheci pela internet, em Rio Casca/MG, a minha família se dividiu. Eu era a única neta por parte de mãe, e havia muitas expectativas pairando acima de mim. Era quase uma partida de vôlei, em que eu bloqueava toda a negatividade e fazia o saque em quem dizia "Namoro à distância não dá certo". Não importava para mim, eu estava apaixonada e iria viajar a qualquer custo.

Saí da sala de desembarque no aeroporto de Confins, em Minas Gerais, carregando uma mala e um coração acelerado. Quando o avistei, parecia que tínhamos quinze anos e estávamos diante da primeira realização dos nossos sonhos. Eu não conseguia me mexer, porque, realmente, ele era lindo demais. Ele começou a andar rapidamente na minha direção e me levantou com um beijo maravilhoso. Ficamos abraçados por quase uma eternidade. Dentro daquele abraço, não havia mais ninguém por perto. Ele disse "Eu te amo", e eu só conseguia chorar. Parece que a minha especialidade é chorar. O celular dele tocou, e eu tinha certeza de que era a minha mãe. Ele atendeu, falou com ela, explicou as escalas que peguei, que o voo atrasou e que iríamos para Rio Casca com o pai dele de carro. Procurei ao redor e vi o pai de Enzo acenando para mim. Fui até ele e dei um abraço.

Ao chegar à casa de Enzo, a mãe dele me esperava ansiosa e muito feliz. Tinha preparado um banquete, arrumado o quarto em que eu ficaria e comprado um presente. Eu fui mimada por dois meses. Nosso relacionamento durou quatro anos, com muitas passagens aéreas, escalas, insolações que Enzo pegou ao vir para Petrolina/PE, confissões, sexo e choros nas madrugadas ao lembrar que teríamos que voltar para casa. Ele me fez feliz, amadurecer e amar. A realidade caiu diante de nós quando ele conseguiu passar em Engenharia Civil, na Faculdade de Pouso Alegre/MG. Ele iria morar sozinho, em uma cidade nova, numa nova faculdade e conhecer outras pessoas. Senti desde o primeiro minuto que o estava perdendo, quando ele ligou e contou que tinha passado no vestibular.

Ele decidiu terminar, eu não. Ele falou que não daria mais certo e que sentia muito a minha falta. Eu iria suportar, mas ele não. Eu não consegui convencê-lo e comprei passagens aéreas para ir a Rio Casca me despedir. Ele não queria que eu fosse. Falei que tinha comprado as passagens para passar o Natal e o Ano-Novo com ele. Era 2014. Eu tinha pago dois mil reais em passagens, quando ele mandou uma mensagem pedindo para não ir. Fiquei olhando para a tela do celular e as únicas coisas de que me lembro eram os gritos da minha mãe, o cheiro de desinfetante, uma sala vermelha, o cheiro de sangue e alguém suturando meus pulsos.

CAPÍTULO 19
Notificações

O *BULLYING* MARCOU VOCÊ EM UMA PUBLICAÇÃO.

Lícia Loltran PUBLICOU NA SUA LINHA DO TEMPO:

Como disse Graciliano Ramos, "a multidão é hostil e terrível". O que, de fato, acredito. O que me custa entender é como podemos continuar perpassando o dia e não ser nada além de terríveis. Somos cada vez mais egoístas, preocupados com superficialidades que vão de qual corpo a qual cabelo, maquiagem, unha é o melhor.

Sempre existirão os modelos do que é "melhor" e do "resto". Esse resto, inserido nessa multidão terrível, perpassa uma imensidão sombria em que se escutam gargalhadas, apontamentos, olhares que ameaçam e engolem tudo que é diferente ou não se encaixou ao molde visto como correto e belo. Talvez tenha sido aí, nesse instante, nessa fissura humana de hostilidade, que eu tenha perdido uma amiga. Poderia ter sido diferente. Confesso que tentei algumas vezes, confesso também que às vezes me via tão inundada nessa multidão. Era impossível ajudar. Tirar a própria vida pode ter sido a única forma de fugir de tudo que lhe é predeterminado mas que não lhe serve. Por mais que você tente, apenas não lhe serve.

Você não nasceu assim e, por isso, pode desejar deixar essa vida em que o existir é tomado por angústias e mágoas vindas de toda parte. Da sua roupa, da sua franja, da sua cor, de seu corpo... Hoje meu luto não é apenas pela vida de uma amiga que se foi, é também pelas milhares de vidas que são ameaçadas, satirizadas, hostilizadas e mortas, pelo que se pensa que as pessoas deveriam ser, pelo que se acha que deviam seguir. Vidas acabadas por tentativas de que toda a massa seja igual e carregue o ideal impresso e mostrado em algum lugar deste mundo. Que pena. Esse é o mundo onde vivo, nós vivemos e onde você viveu.

João Gabriel PUBLICOU NA SUA LINHA DO TEMPO:

Índia,
Como foi engraçado aquele encontro com vinhozinho no Lorena após, sei lá, uns 6 anos que não via você. Achei incrível seu sorriso, seu jeito descolado, diferente, de franja, outra pessoa. Quase não reconheci. Hoje, sei que a essência sempre foi a mesma.

Sabe, todas essas "novas" características suas mostraram-me que, após ouvir toda a sua história de luta silenciosa, eu talvez também seja culpado de toda a negligência humana que recaiu sobre você. Como pude não perceber o quanto você pedia socorro na época da escola? Não sei... Talvez eu não soubesse interpretar os seus sinais... Talvez eu fosse insensível...

Lembra daquele outro dia, também no point de encontro da Ciranda, no qual eu conheci a pessoa que mais amo na vida? Você estava lá. Você foi meu cupido. Você é importantíssima na nossa vida enquanto casal, mas na minha, especialmente, há marcas indeléveis de sua passagem: aprendi sobre o valor de uma pessoa; o cuidado e o carinho que devemos ter a qualquer ser, por mais íntimo ou desconhecido que seja; a história de cada um deve ser respeitada; a complexidade do ser humano tem um quê de encantador também...

Digo, Calincka, que jamais esquecerei tudo que você fez por mim. Sim, você FEZ POR MIM. Eu amadureci muito, cresci bastante... Vejo o mundo por olhos muito mais humanos, mais sensíveis. Você contribuiu demais com isso.

Então, preciso agradecer. Sou grato por tudo. E, ao final, só ficam as lembranças boas, expressas pela visão que tenho

em mente quando lembro de você: a menina com sorrisão no rosto e fazendo as pessoas próximas darem boas gargalhadas.
Eu estou entre essas pessoas. Todos nós amamos você. Ainda que se vá, permanece tão viva como se tivesse visto você ontem. E você estava, claro, sorrindo.

CRIS PIMENTEL PUBLICOU NA SUA LINHA DO TEMPO:
Eu não sei como as outras pessoas veem a Calincka, talvez pelo fato de ter conhecido em um grupo onde ela era admin, sempre a vi como líder e muito segura de si, forte, foda mesmo. Até que a gente, por uma feliz ironia do destino, se conheceu melhor e eu vi que não era bem assim, a força estava ali, junto com um bom humor contagiante, e também com uma sensibilidade e perspicácia, aquelas perspicácias que fazem conseguir ver direitinho o que as outras pessoas são. Pode demorar um pouco, mas ninguém esconde a alma da sensibilidade da Calincka. Quando você menos espera ela fala algo que você estava pensando, confirma uma suspeita que você estava tendo... É incrível. Não é comum nascer com carisma, e nunca vou saber em que momento da vida ela desenvolveu o carisma, talvez tenha sido através da escrita, não sei ao certo, só sei que é uma das pessoas mais carismáticas que eu conheci, e para ter carisma tem que ter muita empatia. Eu nem sei como, minha irmã é amiga dela no Facebook. Uma amiga MUITO próxima é amiga dela no Facebook. Elas mal comentam minhas coisas, mas vez ou outra comentam os posts da Calincka, fico pensando "em que momento da vida Calincka cativou até elas?", mas sei que não é difícil. Por ser sincera, por ser #foratemer, pela sua consciência social e sensibilidade, por tudo isso e muito mais, foi muito fácil amar Calincka. Se um dia ela atingiu seu limite, chegou lá depois de ter ajudado

uma porrada de gente a passar pelos seus próprios limites. Se caiu em uma depressão fodida, caiu, mas não sem ter ajudado TODO MUNDO que conseguiu, todo mundo que pediu. Eu me orgulho da Calincka, tenho a honra de dizer que foi minha amiga, que levarei no coração, que é uma das melhores pessoas que estão morando nesse planeta louco chamado Terra.

ANDREA CRISTINA PUBLICOU NA SUA LINHA DO TEMPO:

A primeira vez que encontrei Calincka foi nas aulas de História da Comunicação.

Silenciosa, quase não conversava nem interagia na sala. Um dia, fizemos um seminário sobre "Censura e Televisão na Ditadura Militar". Foi a primeira vez que ouvi sua voz. Estava um pouco tensa, deixou um pouco a timidez, falava baixo. Parecia ansiosa, nervosa. Pensei que era a primeira vez que se apresentava em sala de aula. Depois, tivemos aula de Entrevista e Reportagem. Ela ainda tímida, mas já conversava um pouco. Lembro que chegava sempre atrasada na sala. Não sei se reclamei sobre isso. Sei que ela sempre se mantinha introspectiva, reservada.

Precisei sair de licença da universidade e não convivi mais diretamente com Calincka. Pois bem, um belo dia me deparo com uma deliciosa crônica de Calincka na sua página do Facebook. Texto leve, envolvente, risonho, feliz. Naquele momento, tive a doce surpresa de presenciar uma aluna revelando aspectos de sua subjetividade e talento que não percebi anteriormente. Perguntei-me: como não pude conhecer essa Calincka? Às vezes, como professores podem ser ausentes.

Agora, ao saber pelas redes sociais o que aconteceu com Calincka, senti-me completamente desolada. Nunca soube que ela tinha sofrido bullying, nunca pude conversar com ela diretamente sobre isso. Agora entendo que a jovem silenciosa, quieta na sala, era a criança que foi maltratada e sofria violências constantes na escola. Sinto-me triste por não ter podido ajudá-la, por não ter conversado pessoalmente com ela, por não ter dado um abraço carinhoso.

Procuro razões para entender tudo que aconteceu, razões para compreender essa passagem tão repentina, penso no seu sofrimento, na tristeza, na dor permanente. Penso também como podemos ser cruéis, insensíveis, como podemos provocar dor a outro porque simplesmente não aceitamos tudo aquilo que nos parece diferente. Agora, diante dessa tragédia, sinto que precisamos falar mais em sala de aula sobre bullying *e a dor que isso provoca, precisamos falar desse sofrimento que nunca desaparece.*

Precisamos também encontrar formas de reconhecer quando nosso aluno está sofrendo e tentar ajudar na medida do possível. Precisamos acolher, precisamos cuidar um do outro, precisamos semear amor e alegria.

DAYANE KÉSIA PUBLICOU NA SUA LINHA DO TEMPO:

Hoje foi um dia de reflexão. Vi que tinha promoção na Marisa do Shopping de manhã e lembrei de você, mas logo depois me toquei que sua vibe era na Toli e aqueles modelos carinhos (risos). O sol também tava daquele jeito hoje e o ônibus da Joafra agora tá quase chegando em São Paulo, mas ainda não passa na Uneb. Na verdade não foi a promoção da Marisa ou os looks da Toli que me fizeram lembrar de você, não era o fervor do sol ou a possibilidade de chegar em São Paulo e não na Uneb que eu vi você, a real é que a sua lembrança me fez pensar como a sua falta fez tudo isso mudar as reclamações do dia a dia e as gostosas gargalhadas que nós dávamos nas tardes unebianas. Pensei muito em você, quis chorar e resolvi me questionar: o que você fez com suas Barbies? Você sabia que eu nunca tive um Ken e nem por isso deixou no seu testamento um para mim, não te perdoarei. Até pensei em visitar sua mãe, saber como ela está e o que fez com suas coisas, só que você nunca me contou pra onde foram as de Camilla, por isso não sei se devo fazer essa visita, mas estou enviando fortes energias positivas pra todos que estão envolvidos nessa série. Outra coisa: cadê o dinheiro da indenização? Tanto que eu torci pra não ser menos de 50 mil e você agora vai embora e some com o dinheiro, o Ken, possibilidades de reclamar, com as nossas gargalhadas, alegrias e só deixou lágrimas nos últimos dias. Lágrimas são o que me faz escrever agora pra você e pensar por que você fez isso, até Camilla tentou te proteger, fez várias coisas darem errado, inclusive o show do Kings of Leon. Não dá pra acreditar e nem para imaginar que agora acabou, você saiu daqui sem diploma e sem Adam Levine, saiu daqui deixando tanta coisa incompleta e tanta gente sem chão. Eu precisava que estivesse aqui para conversar ou simplesmente para passar pelo meu feed de notícias e me fazer sorrir com alguma história boba do seu dia ou com a He-Mana. Você saiu sem dar muitas respostas, deixando muita gente sem entender o porquê do final ser assim. Não sei por que fez isso, mas tenho certeza que se estivesse aqui saberia exatamente o que dizer. Esteja bem.

CAPÍTULO 20
Eu não sei o que estou fazendo

> *"Não toque nos comprimidos de dormir*
> *Eles mexem com minha cabeça*
> *Procurando tubarões-brancos nas profundezas do mar,*
> *nadando na cama*
> *Lá vem a baleia assassina para cantar até que eu durma*
> *Destruindo tudo, me tem entre os dentes."*
>
> **Florence and Machine**
> *Ship To Wreck*

Ao contrário do título, eu sei o que estou fazendo. Mas antes, bem antes, de perceber o que e como estava fazendo com a minha vida, o "eu não sei o que estou fazendo" piscava como letreiro acima da minha cabeça. Estava no chão, no céu, em objetos, rostos e no ar. Eu respirava, interagia, estudava, trabalhava e me alimentava sem saber o que estava fazendo. Não me importava em saber.

Eu me dopava todas as noites para não chorar encolhida na minha cama. Antes que pensamentos e frases se formassem em minha mente, o Rivotril agia. Algumas gotas misturadas com água me prometiam a paz, e eu conseguia até sorrir com a calmaria instalada no meu consciente. Eu realmente não sabia o que estava fazendo. A necessidade de tentar fingir que estava tudo bem era um objetivo inalcançável. Tornei-me dependente de antidepressivos, tranquilizantes e agradeço por nunca ter conhecido alguém que usava drogas pesadas. Provavelmente eu não seria Calincka, a de franja. Seria Calincka, a viciada em crack.

Alguns meses atrás, acreditavam que o meu destino era receber a promoção no trabalho. Passar de estagiária para assessora da Secretaria Executiva de Turismo de Petrolina, trabalhando em uma sala pequena, em decadência, desorganizada e reclamando de tudo. Ah, mas havia bons motivos para reclamar. Não tinha água gelada, nem café, ninguém para limpar as salas além de mim, o *wi-fi* era roubado de outros lugares (possuía uma lista com as senhas) e sempre apareciam pessoas pedindo informações sobre outros setores do velho prédio do Centro de Convenções de Petrolina/PE. Todos os dias, eu esperava pela oportunidade de tirar uma *selfie* com qualquer pessoa que aparecesse por lá para pegar o mapa turístico da cidade, mas, justamente por ser algo raro, nunca consegui.

    O lado bom do meu estágio era que eu tinha a calmaria. Um espaço para pensar e escrever. Eu ocupava o cargo de estagiária em assessoria e às vezes rezava, por causa da tranquilidade, para uma demanda aparecer. Algo como uma denúncia nos programas de rádio ou um político querendo explicação sobre o novo ataque de abelhas na Ilha do Fogo[6]. Seria emocionante isolar a área novamente e acompanhar o Corpo de Bombeiros e professores de Zootecnia retirando um enxame, de dois anos, da ilha localizada entre Petrolina e Juazeiro.

    Para passar o tempo, utilizava as redes sociais; fazia piadas; me informava sobre a política; invejava as fotos de viagens dos "amigos"; aproveitava para alimentar o *blog* e gargalhar com o bom humor dos brasileiros no Twitter. Minhas publicações e opiniões nas redes sociais eram e são recheadas de sarcasmo. Eu opinava sobre muita coisa na internet e esse hábito fazia com que as pessoas exigissem um livro sobre a minha vida e o que penso. Diziam "Escreva um livro". Por que eu escreveria um livro? Minha vida não era tão legal assim.

    Para escrever um livro, eu teria que ter um bom motivo, desenterrar o passado, revelar o pior de mim, reconhecer meus defeitos, procurar pessoas que não faziam mais parte da minha vida e resolver assuntos pendentes. Eu iria conseguir? Logo eu, que sempre atuei bem no teatro da minha vida. Eu tive que voltar para 2004 e reviver até 2009. Os piores anos da minha vida. E não, não é uma história que mereça um Oscar por "Melhor Drama" e "Melhor Atriz" (embora eu merecesse ganhar o Oscar por ser a

---

[6] Balneário que se localiza entre Juazeiro/BA e Petrolina/PE.

melhor atriz da minha cidade). Quero lembrar que não há uma competição de quem sofre mais, mas preciso relembrar que você não estava lá. Eu estava. E, mesmo sendo a própria testemunha dos meus sentimentos e do meu passado, eu não saberia tudo.

Acredito que nunca saberei. Estava ocupada escondendo o fato de sofrer o *bullying* e os vários problemas familiares. Mas eu sei que no jornalismo há sempre mais de duas versões para a mesma história, então talvez existissem outras versões de mim mesma, não é? O recorte da realidade — expressão em que se acredita que as notícias não são espelho do real e sim um relato observado e registrado — não está presente, por ser impossível narrar algo pelos olhos de outra pessoa, mas o jornalista David Carr — em *A noite da arma* — esclarece bem melhor o que quero demonstrar ao dizer: "Para investigar uma história de mim mesmo, preciso de reforços". Eu preciso de reforços. Preciso ouvir outras versões sobre a Calincka da infância e a do Ensino Médio. Aquela que estudava em uma escola tradicional e religiosa da cidade e que acreditava não ser forte o bastante para sobreviver ao inferno na Terra.

Escrever um livro sobre qualquer passado é como estancar o sangue de um ferimento profundo com guardanapos. É preciso ter coragem e cumprir a promessa de ir ao psicólogo a cada entrevista colhida e gravada. A cada encontro com o meu passado, eu me coloco como objeto de estudo, algo parecido como ratos de laboratório, evocando todos aqueles que estiveram presentes nos meus pesadelos durante a infância e a adolescência para contribuir, de modo sutil e sensato, com o crescimento de alguém, colocar as cartas na mesa e testar a minha própria força estando diante de histórias que eu pensava ter enterrado. Acreditei que poderia ser quem eu quisesse fora dos muros da escola. E sou.

3 GRITOS

*"Porque há o direito ao grito.
Então eu grito.
Grito puro e sem pedir esmola."*

Clarice Lispector
A hora da estrela

CAPÍTULO 21
Ponte Presidente Dutra

*"Haverá bons momentos de novo
Para mim e pra você.
Mas apenas não podemos ficar juntos
Você não sente isso também?
Ainda assim eu me sinto feliz pelo que nós tivemos
E como eu, uma vez, amei você."*

Carole King
It's Too Late

— Lara, pare o carro. Quero vomitar, estou enjoada.
— Não vou parar. Pode fazer isso no meu carro. Nem pense que vou cair nessa!
— Estou falando sério.
— Eu também.

Fechei a janela, e ela me olhou sabendo que tinha vencido a discussão e a minha oportunidade de me aproximar da ponte. Todos os dias, Lara me levava para a faculdade, um acordo feito entre ela e a minha mãe, para que eu não atravessasse o rio São Francisco e me atirasse nas suas águas. Realmente, eu só queria uma oportunidade para ser abraçada por aquelas águas.

Lara é o meu oposto, e é isso que eu gosto nela. Ela é calmaria e eu sou a turbulência. Com certeza, deveria ter me aproximado dela no primeiro dia de aula, mas estava ocupada demais falando mal dos colegas que eu ainda nem conhecia. Pratiquei *bullying* e esse fato me envergonha; mesmo sorrindo dos comentários maldosos, alimentei a cultura desse feito. Às vezes me pergunto se ela teria me apoiado a pegar um avião para encontrar alguém que conheci na internet ou se me deixaria trancar disciplinas para pegar o mesmo avião pelo mesmo motivo. Ela é razão e eu sou impulsivo, mas não chegou tão tarde na minha vida. Quando submergi da depressão para ir ao extremo, que eram as tentativas de suicídio, ela estava lá estendendo a mão e sabia que, em algum momento, eu alcançaria o seu braço. Eu ficaria em terra firme e apreciaria a vista como ela. Lembro de uma ordem dela:

— Me poupe, chorar por causa de macho? E tire essas cortinas roxas que só dão depressão mesmo.

Eu parei de chorar e troquei a cor das cortinas.

Durante meses, disfarcei o término e os pulsos cortados na faculdade. Nas redes sociais? Minha vida era maravilhosa. Maravilhosa em caixa-alta. MARAVILHOSA. Mas, por trás da tela de um celular ou *notebook*, eu estava sofrendo. Meu relacionamento estava acabado e o meu namorado tinha me deixado. No fundo, eu sabia que não era só esse o motivo. Eu tinha medo de que fosse verdade tudo o que me disseram no Ensino Médio: "Ninguém vai te querer", "Você é feia assim ou fez curso?", "Pega o sal e joga porque é sapo".

No fim das contas, eu sabia que eu e Enzo não poderíamos viver de esperas e escalas, mas mesmo assim eu fiz questão de passar pelo luto do fim de namoro, porque eu sou a "rainha do drama". O que mais me doía, de verdade, é que eu não teria mais aqueles momentos repetitivos de pura felicidade. Eu iria sentir saudades, iria perder a minha segurança e minha autoestima. Meu medo era me tornar novamente a garota do "Eu te pegaria só por trás". Na minha mente, eu já era a Calincka do Ensino Médio mais uma vez.

Para esquecer, eu bebia, todas as noites, vinhos baratos com Rivotril e vivia trancada em meu quarto. Ao deitar, conseguia ficar olhando, por horas, para o teto, achando que a minha vida tinha acabado. Esperava que a morte chegasse montada em um cavalo branco para me salvar desse sofrimento que queimava. *Oh, Calincka, quanto desespero!* Como eu disse, era muito drama para pouca percepção do que era um relacionamento e o amor.

— Você quase me deixou louca. Ele ligava todos os dias, e quando o número de ligações diminuiu percebi que tinha algo errado. Você não contava. Se trancava no quarto e só saía para a faculdade. Comecei a ajudar Lara na gasolina para que ela te pegasse aqui em casa, porque eu morria de medo de você atravessar o rio deprimida. Ele te prometeu tanta coisa, e te deixou. Um dia ele me paga — minha mãe suspirou como se estivesse desabafando. E estava.

Ivone Crateús me vê como a vítima do relacionamento, mas eu não sou. Percebi só recentemente que eu passei a imagem errada. Colocara-me como alguém que estava saindo de um vínculo — que já era complicado por causa da distância — em que dois jovens romantizaram e idealizaram boas situações por quatro anos. Eu consigo observar, agora, o quanto utilizei e vesti a roupa de "coitadinha". Não sou uma princesa indefesa, e Enzo não é o meu príncipe encantado. Éramos dois jovens imaturos que se encontravam somente nos momentos felizes e ponto.

Com a ajuda profissional proporcionada por um psicólogo e um psiquiatra, Dr. Paulo Santos e Dr. Plauto Oliveira, respectivamente fui aos poucos entendendo como me sentia e o motivo de ser insegura "Do Oiapoque ao Chuí". O meu psicólogo me apresentou, em uma consulta em 2015, ao *bullying* e eu percebi que deixei de acreditar nas pessoas boas ao meu redor e nos elogios. Eu só guardava o que magoava. E isso era verdade.

Um dia, Lara me mandou uma mensagem de texto em pleno sábado à noite ordenando que eu me arrumasse em meia hora. Que ousadia! Interrompendo o meu sofrimento e a tortura psicológica que eu estava fazendo comigo mesma ao olhar as fotos de Enzo com a nova namorada. Cumpri a ordem e em meia hora já estava diante de várias pessoas desconhecidas. Elas se denominavam como "OGE", que significa "O Grande Encontro".

Naquele primeiro momento, eu acreditei que "OGE" era por causa da quantidade de pessoas, mas depois percebi que havia muito mais por trás. Foi assim que descobri o prazer que é estar diante de pessoas extremamente opostas, inteligentes e queridas. O nome do grupo se encaixava perfeitamente, mas eu só descobriria o principal motivo nos meses seguintes, e a convivência com eles viria a me ajudar na minha transformação interna. Eu me reconheci entre eles e fui aceita como se fosse muito importante, mesmo sendo apenas uma estudante de Jornalismo que andava com dois reais pelas ruas de Petrolina e um histórico ruim de relacionamentos amorosos. E, por incrível que pareça, ainda sou consultada para dar conselhos amorosos. Cada um com a sua coragem.

CAPÍTULO 22
Coisas que eu não consigo fazer

> *"Você usa suas palavras como uma arma, querido*
> *Mas suas lâminas não machucam quando você não tem medo*
> *Você acha que está profundo sob a minha pele*
> *Sua tentativa de me manter sofrendo*
> *Se você usar as suas palavras como uma arma*
> *Então, como uma arma, eu não vou derramar nenhuma lágrima."*
>
> **Birdy**
> *Words As Weapons*

O *bullying* me acompanhou como se fosse uma marca de nascença e conseguiu fazer um estrago enorme na minha vida, dos meus pais e de todas as pessoas que passaram por mim. Os pulsos cortados são apenas cicatrizes externas que podem ser vistas e sentidas à luz do dia. Não me sentia como sobrevivente quando o médico, na emergência, disse: "Ela teve sorte". Não me sentia sortuda. Ainda.

Quando resolvemos desistir é porque nos sentimos inúteis, algo ou alguém que não faria a menor falta no dia a dia das pessoas. A desistência tem cores, formas, cheiros e dor. Não é a dor física; é a espiritual, da alma, no âmago. Ela se estende até por quem está ao seu redor até finalmente ele ser contaminado. Pessoas que te amam querem o tempo todo te ajudar, mas é impossível. A ajuda só chega quando você baixar a guarda, derrubar as muralhas construídas ao seu redor por anos de ofensas verbais e torturas psicológicas que até hoje não têm justificativas ou motivos aparentes. Situações de violências geradas por crianças e adolescentes de quem eu nunca tirei um fio de cabelo para dar a oportunidade de ser maltratada. Pesquisando sobre o *bullying*, percebi como é alimentado na escola e que muitas vezes pode nascer dentro da família que não possui uma comunicação ou um relacionamento sadio.

Os *bullies*, pessoas que praticam agressões verbais e físicas repetitivamente, às vezes não conseguem perceber o mal que fizeram ou fazem, tampouco enxergam as sequelas que deixaram. Abro neste exato momento minhas caixas de segredos e resolvo contar coisas banais para alguns, mas que, para mim, doem todas as vezes que tento prosseguir. Eu nunca prendi o cabelo, e colocá-lo como um rabo de cavalo, em minha mente, é uma forma convidativa para que alguém o puxe e me leve até a lembrança do bebedouro. Na faculdade, nunca me viram com as madeixas amarradas, mesmo nos dias mais quentes. Uso franjinha, porque assim consigo esconder o rosto quando vejo algum colega do Ensino Médio e também, no espelho, não vejo o meu reflexo cortando os chicletes colados. Sempre respondo aos elogios com um defeito meu. Eu poderia simplesmente aceitá-los, mas o meu mecanismo de defesa sussurra: "Não caia nessa, não é verdade".

Sempre estragarei um primeiro encontro me antecipando com "Eu não sou bonita" ou "Você deve ter conhecido mulheres mais bonitas que eu". Por mais que deseje, eu não posso fazer sexo casual com alguém que acabei de conhecer. Posso assustar a pessoa pedindo que pare, porque pegou no meu cabelo. Alguns amigos não sabem, mas ao falarem ou mexerem nas minhas madeixas me teletransporto para outro lugar. Sempre acharei que os cochichos são sobre mim e que o problema sou eu. Eu não consigo dirigir porque não confio na minha atenção e na minha mente. As minhas mãos ficaram trêmulas por causa dos anos como dependente de sedativos.

Para explicar melhor, eu nunca conseguirei colocar um fio de linha em um buraco de agulha, segurar o copo descartável pela borda sem tremer, ficar animada no meu próprio aniversário por causa da festa dos meus quinze anos, e sempre negarei elogios e gentilezas. Também não consigo controlar a minha ansiedade; curtir um show sem ficar procurando o rosto de ex-colegas do Ensino Médio nem participar de grupos nas redes sociais. E jamais, jamais comprarei uma roupa nova para um encontro. Eu posso dizer que "estou" danificada, que eu "fui" danificada.

CAPÍTULO 23
É bom ver você novamente

"Mantenha sua cabeça erguida e seu coração resistente. Mantenha sua mente equilibrada e seu cabelo comprido. Oh, minha querida, mantenha sua cabeça erguida e seu coração firme."

Ben Howard
Keep Your Head Up

— Você está sorridente! — ele disse com um sorriso aberto de alguém que acabara de ganhar na loteria. Talvez ele tenha ganhado.

— Estou?

Perguntei como se não estivesse vendo a minha transformação interna. Na consulta passada, eu tinha falado da Ciranda para ele, mas as inseguranças ainda me rodeavam. E é claro que ainda terei um longo percurso para me livrar de coisas que ainda me atormentam.

— Pensei que iria interromper novamente o acompanhamento. Fico feliz por mostrar que eu estava errado.

— Eu me sinto bem. Não vou parar enquanto minha mãe puder pagar, mas eu estou feliz. E não há motivo específico. Só estou bem, doutor.

A consulta com um psiquiatra é paga à vista, porque o plano "CaseEmbrapa" não cobre o acompanhamento. Às vezes eu vejo o Dr. Plauto apenas uma vez no mês, mas é o suficiente para me deixar relaxada na sala climatizada, limpa e aconchegante.

— Vou fazer a prescrição dos seus medicamentos. Está conseguindo dormir com o Rivotril? E já fez os exames para a tireoide? Quero vê-los na próxima consulta. Ainda com pensamentos suicidas?

— Estou dormindo direitinho. Ainda não fiz os exames porque é final de semestre da faculdade e não tenho pensamentos suicidas já faz um bom tempo. Quero ver o final das minhas séries, de jeito nenhum vou perder isso.

Ele riu e começou a anotar. Ainda preciso dos medicamentos para dormir, mas com o tempo vou produzir o meu próprio sono. Ter acompanhamento psicológico é fundamental, mas não leve a sua mãe junto porque você pode se encrencar. A minha mãe sempre foi comigo, sugestão do próprio psiquiatra.

— Mas eu peguei ela escrevendo na internet: "morta".

— Mãe, é uma gíria. É como dizer que está surpresa ou passada.

— Ainda tem pensamentos suicidas? — perguntou o meu psiquiatra, desconfiado por causa da informação da minha mãe.

— Não, eu escrevo. Isso me afasta dos pensamentos suicidas.

Eu poderia passar horas conversando sobre como ele me via quando cheguei pela primeira vez, aos dezoito anos, em seu consultório porque estava viciada em comprimidos para dormir. Talvez ele nem lembre, mas eu estava assustada por ter a própria prescrição de medicamentos e tranquilizantes.

Rotulam algumas pessoas, caracterizam psicólogos e psiquiatras como profissionais que acompanham apenas indivíduos com esquizofrenia. Falo com propriedade porque relutei em aceitar ajuda de especialistas; eu tinha um sentimento de raiva por achar que a minha família estava indicando que eu tinha "enlouquecido". Durante três anos, interrompi o acompanhamento por alguns motivos, como crise financeira na minha casa, rebeldia por minha parte e indisponibilidade daqueles que me ajudavam a dar um passo de cada vez.

— Você voltou. Espero que se ache linda agora — disse a recepcionista da Unidade de Atendimento Médico Especializado (AME), perto do Museu do Sertão, em Petrolina, abrindo um sorriso bonito. Claramente, ela se referia a uma entrevista que eu tinha dado.

— Sim, voltei. O psicólogo está?

Sou acompanhada por um psicólogo, o mesmo que perguntou se eu queria ficar bem. No início, eu mentia para ele. Inventava histórias mirabolantes para não tocar no assunto principal, que era o *bullying*. Em outra etapa, passei a omitir e, na terceira fase, comecei a perceber que quem estava perdendo era eu. Aceitei a ajuda para não me tornar uma reclusa no meio de vários medos.

Quando comecei a tirar o peso das costas, fui me transformando e ajudando quem estava ao meu redor. Literalmente, me tornei divertida, leve e agradável. Eu mudei porque me permiti, e foi uma das escolhas mais inteligentes da minha vida.

CAPÍTULO 24

A Ciranda

> "A felicidade a atingiu como um trem nos trilhos
> Vindo em sua direção, ainda preso, sem volta
> Ela se escondeu pelos cantos e ela se escondeu debaixo das camas
> Ela o matou com beijos e dele, ela fugiu
> Com cada bolha, ela afundou com sua bebida
> E a derramou no ralo da pia da cozinha."
>
> **Florence and The Machine**
> *Dog Days Are Over*

Eu falo demais, isso é um defeito e uma qualidade minha. Quando percebo, estou conversando sobre tudo com o cobrador do ônibus, na fila do banco, durante a depilação (que era para ser um momento de concentração) e até em momentos de tensão. Antes de me tornar comunicativa, eu não conseguia nem olhar direito para as pessoas.

Quando passei no curso de Jornalismo, em 2010, ainda praticava "A criação do silêncio". O medo era enorme, eu vivia de desistências quando o assunto era a entrega de trabalhos e textos. Para mim, eu seria julgada mais uma vez. As coisas ficavam ainda piores porque eu tinha um primo que se formou na mesma faculdade em que eu acabara de entrar. Não queria demonstrar erros nem sentir os olhos em cima de mim, como faziam no Ensino Médio, por tirar notas baixas propositalmente, por ser irmã, prima e sobrinha de um(a) Crateús. Eu preferia as provas, não gostava dos meus textos acadêmicos, na verdade eu tinha vergonha de apresentá-los. Esforçava-me na medida do possível, mas continuava com receio ao escrever os trabalhos da faculdade. Esse medo durou três anos.

Quando a minha sala e outras pessoas começaram a me adicionar nas redes sociais, perceberam que eu tinha um humor sarcástico e adoravam as pequenas histórias que eu compartilhava. Muitos, quando me viam nos corredores da faculdade, paravam e ordenavam: "Calincka, escreva um livro ou faça um *blog* para contar suas histórias". Um livro? Um *blog*? Não, não serei ridícula a esse ponto. Continuei relatando pequenos momentos da minha vida com muito humor e *feedbacks* positivos em todos os relatos nas redes sociais. Eu já sabia como trabalhar com a internet. Então resolvi ser criadora de algumas páginas engraçadas no Facebook. Não sei como as pessoas reagiriam se soubessem que é uma pernambucana que faz muita gente do país inteiro sorrir.

Eu já tinha sido incluída em "O Grande Encontro" que Lara me apresentara. Acabei tornando-me querida por várias pessoas e já estava emocionalmente equilibrada. Como em todos os grupos, o número de pessoas vai diminuindo com o tempo por diversos motivos: trabalhos, faculdades, filhos e mudanças de endereço. Dividíamos muitos segredos, confissões, militâncias e até amores platônicos. Nos nossos encontros, para rir ou simplesmente conversar, passamos a sentar na forma de um círculo e eu era o único ser humano heterossexual naquele momento. Falei em voz alta: "Eu e uma ciranda de veados". Muitos adoraram a nova "expressão" e acabaram utilizando-a até hoje. "A Ciranda vai?", "Vamos chamar a Ciranda", "Tem que ter representante da Ciranda lá". Em outra ocasião, presenciamos, literalmente, uma ciranda sendo formada durante um festival de música da região, chamado Umbuzada Sonora, e rimos muito. Estavam tentando roubar a nossa marca registrada.

A Ciranda sempre se reunia para festejar as realizações pessoais de cada membro. Poderia ser um aniversário, a aprovação no Conselho Federal da Ordem dos Advogados do Brasil (OAB), uma seleção para mestrado ou uma simples despedida de emprego, mas, principalmente, quando alguém precisava de ajuda. Não declaramos oficialmente, mas uma das regras do grupo era ajudar e estender a mão.

CAPÍTULO 25
Linda de Valentino

> *"Então vamos, deixe para lá*
> *Apenas deixe acontecer*
> *Por que você não pode ser apenas você?*
> *E eu ser eu mesmo."*
>
> **James Bay**
> *Let It Go*

Estava no carro de Fábis — que faz parte da Ciranda — quando me avisaram que teríamos uma reunião. Na minha mente, era apenas mais um encontro com a ciranda, mas era um dia de semana e todos estavam trabalhando. Não desconfiei de nada, só fiquei surpresa ao ver Lara nos esperando. Os dois começaram falando sobre as minhas publicações no Facebook e mencionaram a palavra *"blog"*.

— Você precisa adaptar seus relatos do Facebook para um *blog*. É muito gostoso de ler, e você sabe que tem muita gente que te acompanha por causa das suas histórias — fiquei olhando para a cara de Fábis horas, tentando entender o que queria dizer.

Será que estão me propondo a criação de um blog *para textos ou maquiagem? Porque, se for para textos, passou de dois parágrafos ninguém mais lê.* Arrumei a minha postura na cadeira, estávamos em uma loja de conveniências e expliquei que era insegura com relação aos meus textos.

— No Facebook, é só um divertimento.

— Que nada, muita gente adora — argumentou Lara.

— Pois é, vou criar o *blog* e, quando você for relatar uma história, escreva nele e depois compartilhe no Facebook.

Meu Deus!!!! Fábis estava esperando uma resposta. Eles estavam falando sério. Percebi pela expressão dos dois que não era pegadinha.

— Certo, não vai me arrancar pedaço mesmo.

A cada história que eu relatava no *blog*, percebia o crescimento de visualizações e da quantidade de mensagens positivas e compartilhamentos. De repente me dei conta de que estava escrevendo para o país inteiro ler. A ficha só caiu quando passei a receber mensagens positivas e sugestões de pessoas que nunca vi e não eram da minha cidade. O *blog* "Toda Linda de Valentino" alcançava qualquer um porque eu já realizava "trabalhos" nas mídias sociais e algumas pessoas já me seguiam por achar minhas publicações engraçadas. Sempre duvidei da minha capacidade, uma percepção que carrego por causa do *bullying*. Acreditar que meus textos simples fariam a diferença na vida das pessoas era impossível, mas, de alguma maneira inexplicável, fizeram.

No *blog*, eu compartilhei muito da Calincka do Ensino Médio, o fim de um relacionamento, as trapalhadas dos meus pais e as tentativas de suicídio. Esse site acabou servindo como espaço de apoio para uns e caminho para que algumas pessoas se sentissem representadas nas linhas e nas entrelinhas dos detalhes da minha vida que se aproximavam dos seus. Mais uma vez eu duvidei que fosse capaz, mas me mostraram o contrário.

CAPÍTULO 26
Há sete bilhões de estágios no mundo

"Porque ninguém
Dava nada por mim
Quem dava, eu não tava a fim
Até desacreditei
De mim."

Marisa Monte
Ainda bem

Havia uma vaga de estágio naquela universidade e era para alunos do curso de Jornalismo da Uneb que já tinham pago a disciplina Assessoria em Comunicação. Eu estava nervosa por serem apenas duas vagas e por haver alguns concorrentes conhecidos pela dedicação nos trabalhos acadêmicos. Estava com o currículo nas mãos e algumas dicas que pesquisei na internet para me ajudar.

Na hora da entrevista, foram feitas várias perguntas profissionais, e até esse momento, eu estava segura. Quando o meu *blog* foi citado, tentei entender o motivo e esperei que a entrevistadora terminasse sua justificativa.

— Você sabe que não pode usar a linguagem que usa no seu *blog*, não é? Porque para trabalhar com assessoria é preciso utilizar outra linguagem. Uma mais séria.

— Claro.

O quê? O que acabei de ouvir? Eu sabia que tinha perdido a vaga naquele momento, mas juntei a minha dignidade e pensei em fazer um texto sobre aquela situação. Eu estava sendo descartada por causa de um *blog*? Sim, estava. É claro que um educador que já teve acesso aos seus textos acadêmicos poderia ser mais explícito: "Olha, é que você está se formando e queremos moldar alguém do nosso jeitinho de ser". Colocar o *blog* como um problema e como motivo de não te escolher em para uma vaga de estágio, como se estivessem falando com uma criança de três anos, foi desnecessário.

A expressão "O mundo dá voltas" é mais que perfeita. Pouco tempo depois, surgiu uma vaga na Assessoria de Comunicação da Prefeitura de Petrolina e fui aceita. Só foi preciso mais alguns meses para que os dois estagiários da universidade que me dispensou (aqueles que conseguiram a vaga por não ter um *blog*) me procurassem para tomar notas de algumas informações relacionadas à Prefeitura. Ficaram surpresos. Eu sei que há sete bilhões de pessoas no mundo, mas pode ocorrer de ter o mesmo número para estagiários. Fiz questão de mandar o e-mail com a seguinte assinatura: "Calincka Crateús, estagiária na Assessoria de Comunicação da Prefeitura Municipal de Petrolina (PMP)".

CAPÍTULO 27
Podemos ser amigos?

> *"Você pensa que está no controle*
> *Mas você não entende o quanto você está errado*
> *Você escolhe me atacar*
> *Eu não fiz nada errado*
> *Tudo o que você almeja é atenção*
> *E só para ser amado."*
>
> **Birdy**
> *Heart Of Gold*

Eu ainda estava namorando e me sentindo como se eu pudesse ter o mundo em minhas mãos. Faltavam seis dias para entrar na sala de embarque e passar dois meses com Enzo. Recebi uma solicitação de amizade no Facebook que me assombrou. Respondi a solicitação algumas horas depois, redigi uma mensagem e marquei a mensagem dele como *spam*. Era 2014, quando escrevi respondendo para o meu antigo "senhor do engenho":

> *"Oi, Kebller, como vai? Então, não vou aceitar sua solicitação de amizade, porque prefiro manter algumas pessoas que estudaram comigo longe. Bem longe. Muitas vezes fui alvo de piada no lindo colégio em que estudamos e não esqueço como você e outras pessoas me tratavam. Um beijo e adorei o filho. O diploma vem quando?"*

Tentei atingir como ele sempre fez.
Kebller se limitou a contrapor:

"Kkkkk

Ok

Lindo ele, né?

O diploma só mais pra frente

E vc como está?
Esqueça aquilo
Era tempo de criança
Mas tudo bem"

    Não consegui dormir após a mensagem que evocou todo um passado que eu tinha enterrado. Kebller foi um dos *bullies* que me humilhavam, sempre na presença dos amigos. Repetidamente ele apontava para mim e fazia piadas, abrindo um sorriso superior ao meu modo de agir passivamente. Eu apenas recebia e aceitava.

    Como estudante de Jornalismo afirmo, metaforicamente, que o conceito da Teoria do Gatekeeper (ou o selecionador/porteiro) — que versa sobre o que pode ser noticiado ou não e utiliza as pessoas para escolherem o acontecimento que tem mais valor numa redação — esteve presente em toda a minha vida. Como uma *gatekeeper*, selecionei várias situações ruins entre a infância e a adolescência e escolhi que elas não fossem mais noticiadas. Escolhia os piores momentos e me silenciava. A única diferença entre mim e a Teoria do Gatekeeper é o fato de eu não publicar nem informar o que estava acontecendo, tentando apresentar o *bullying* que sofria através do silêncio.

CAPÍTULO 28
Você não precisa de likes para se sentir bem

— Eu me acabo de rir com as suas postagens no Facebook e adoro as suas páginas.

Obrigada.

Eu sempre ouvi que era engraçada, mas eu não acreditava. Com o tempo, fui percebendo que as pessoas queriam me manter por perto não só por isso, mas também porque aprendi a ouvir, fazê-las gargalhar e apoiar qualquer um ou uma nos piores e melhores momentos. Eu sou aquela que está torcendo por você, com direito a mensagem em cartolina com bordas de papel crepom. Como uma válvula de escape, utilizo as mídias sociais para me divertir, me informar e escrever pequenas crônicas que chamam a atenção dos meus leitores. Sim, possuo leitores.

Sempre fui criativa, mas essa habilidade eu não poderia apresentar na escola. Na faculdade, as pessoas ao meu redor começaram a perceber que eu tinha as respostas mais engraçadas. Aos poucos, perdi o medo de falar. Ninguém percebe, mas eu tenho problemas de dicção. Não consigo falar algumas palavras e às vezes não consigo dizer nada. Em algumas ocasiões — apenas as importantes —, falo errado para ser corrigida e repetir corretamente sem que percebam que possuo essa dificuldade. Sei disso porque a minha mãe me levou ainda criança ao fonoaudiólogo. Achavam que o problema era no momento de ouvir a minha própria voz, mas eu conseguia falar corretamente ao ouvir, e isso tranquilizou Ivone Crateús.

Quando os semestres avançavam, fiquei deprimida por ver meus colegas de sala se identificando com alguns meios de comunicação e conseguindo estágios. Fui dispensada na assessoria por ter um *blog*. Sem cogitação fazer parte de um projeto no programa de rádio da Uneb. Com esses problemas de dicção seria eliminada mais rapidamente. TV Universitária? Claro que eu também não seria aceita, porque não fazia parte do "padrão para a reportagem". Foi duro perceber que dentro do próprio curso há uma segregação por parte de alguns professores. Falam que é preciso mudar o "padrão de repórteres" nos telejornais, mas, na hora da seleção de estágio, fica claro que pretendem seguir com o padrão de beleza exigido na profissão.

Comecei a trabalhar nas mídias sociais por diversão. Paulatinamente, no entanto, fui alimentando e construindo páginas com muito humor. Resolvi fazer outras voltas para o público Lésbicas, Gays, Bissexuais, Travestis, Transexuais e Transgêneros (LGBT). Mas, sem dúvida, o reconhecimento da minha atuação no ciberespaço veio com o *blog* e com uma série de fotonovela que produzi, em que há uma Barbie negra como protagonista; um Ken bissexual; um Ken transexual e uma boneca lésbica. Um enredo caseiro que teve uma significativa aceitação[7]. Decidi que iria continuar escrevendo e me aventurar no ramo da assessoria como estagiária apenas porque não há padrão (físico) jornalístico nas redes sociais.

Quando a minha turma se formou e eu fiquei pagando algumas disciplinas — que abandonei para vivenciar a paixão ocasionada pela internet —, novamente abateu-se sobre mim a depressão. Eu estava mais uma vez no carro de Fábis me lamentando e contando que estava deprimida.

— Você precisa ocupar a mente com um trabalho melhor, parar com essas paixonites de internet. Mas espere. Você é muito criativa e não vai dispensar isso — o tapa imaginário que Fábis

---

[7] *Love Story Clayton* é uma série feita com fotos de bonecas Barbie, publicada em uma página chamada *He-Mana*. A cada episódio a história ressalta um assunto ou tema importante para não se tornar apenas fonte de divertimento, proporcionando conhecimento com muito humor. O primeiro episódio teve dez mil compartilhamentos no Facebook e até hoje recebo roupas para as bonecas.

me deu foi rápido e certeiro, porque eu percebi que dava muita oportunidade para a depressão.

— Eu sei — respondi, sem saber se queria trabalhar ou chorar.

Ter amigos é como se tivéssemos uma enorme e segura pilastra ao nosso lado, e com a chegada do maremoto temos duas escolhas: sermos arrastados ou nos agarrarmos à pilastra para resistir e sobreviver.

CAPÍTULO 29
Rupturas

"Você não tem que agir como se estivesse sozinho
Como se as paredes estivessem se fechando à sua volta
Você não tem que fingir que ninguém sabe
Como se ninguém entendesse você
Não sou apenas um rosto que você conhecia
Sei tudo sobre você."

Birdy
All About You

A casa dela estava sendo reformada, mas eu reconheci as janelas e as portas. Lembro que antes das provas de matemática estudávamos juntas. Na última vez que vi Luna ela estava com alguns amigos e eu estava rodeada de pessoas que me faziam bem (A Ciranda).

Era um festival de música local, em 2014, e saí para beber e dançar. Eu queria ver pessoas, gargalhar e contar histórias. Tudo o que eu menos queria era ver, ouvir ou tocar algo que fosse associado ao meu antigo colégio. Eu não me sentia bem, mesmo que fosse apenas uma pessoa que sempre me tratou bem ou que se afastou sem explicações. Mas a cura vem com a coragem, não é? Eu vi isso em uma série americana. Criei coragem e fui falar com ela para ver se curava mesmo. Ah, quem colocou esse clichê no episódio que acompanhei? Não curou nada. Eu só estava atuando mais uma vez. "Um dia a gente marca qualquer coisa", eu disse com falsidade e sem nenhum pingo de interesse genuíno.

Eu só queria riscar da minha vida tudo e todos que me lembrassem o colégio. Eu tinha muitos motivos para isso, mas guardei para mim o quanto a presença dela em um lugar público me afetava. Ela não merecia, não era culpa dela. Tive outros contatos com Luna, mas eram virtuais. Algumas palavras sobre marcar de sair, *likes* em suas fotos, comentários furtivos sobre a sua viagem para a Argentina, e só. Agora, depois de uma década, eu estava em sua porta, cautelosa, munida de gratidão e nostálgica.

Luna não era mais a menina assustada e "indefesa" do colégio. Não era mais a minha companheira de brincadeiras. Eu não fazia mais parte da vida dela, mas de alguma maneira eu senti como se nunca tivesse me isolado ou me afastado. É engraçado o quanto crescemos. Somos mulheres! Eu estava em sua porta para uma ocasião profissional e triste. Uma entrevista. Ao entrarmos na cozinha de sua casa, agradeci o que ela fez por mim. Ela apenas me olhou e disse que eu faria o mesmo por ela. Sim, eu faria. Mudamos de assunto para relembrar as suas aventuras: viagem para a Argentina, seu divórcio e o *status* de ser tia.

Os assuntos foram acabando, e ela tocou no tema. Finalmente tive coragem e perguntei se ela estava preparada, e ela concordou com a cabeça.

— Eles não cresceram. Estavam falando que Kebller te procurou e queria te adicionar no Facebook. Ele ficou negando, e, como você tinha me mostrado o *print*, eu me intrometi na discussão no grupo do WhatsApp e provei quem estava mentindo. Começaram a utilizar suas fotos e eu não poderia deixar de te avisar. Postavam a todo minuto que você só seria bonita na próxima encarnação; vi Kebller tentando explicar o motivo "sensacional" para não gostar de você, que era por você não ter aceitado ele no Facebook. A Samys também utilizou suas fotos e fez piadas com o seu cabelo.

Eu me lembrei do que havia no *print*. "Ela tá com esse cabelo liso?"

— Eu não podia sair do grupo antes de ver até onde eles iriam. Eu entendo você por ter se afastado de mim.

— Eu queria morrer. Quebrei os vínculos para que me odiassem o suficiente para não irem ao meu velório.

— E eu me culpo porque sabia o que estava vendo. Eu não fiz nada. Só queria deixar de ser evangélica e explicar à minha mãe que eu nunca seria o que ela queria. Esposa de pastor. Me desculpe.

— Não precisa pedir desculpas. Obrigada, Luna. Te culparam pelos *prints* que recebi, não é?

— Sim. Eles acham que eu te mandei, mas isso não importa. Não significam nada, mesmo com filhos. Não quero nem imaginar a criação dos filhos.

Continuamos conversando sobre o meu relato nas redes sociais e as mensagens de apoio que recebi, mas disfarcei ao máximo o quanto a presença dela me afetava. Nós não éramos mais as mesmas pessoas. As nossas vidas não se encontravam na longa estrada. Passaram-se dez anos. Tempo suficiente para mudarmos de ideia, bairro, gosto musical, namorados, cortes e cores de cabelo. Eu só me dei conta da quantidade de situações que passamos sem saber uma da outra ao estar diante dela. Olhando-a. Tentei me tranquilizar e disse que me sentia muito grata por me receber e permitir que eu a entrevistasse.

Quando cheguei à minha casa, desmoronei e chorei ao perceber que o passado estava ao meu redor e eu só estava começando.

CAPÍTULO 30

Sobre pessoas que não crescem

"Não fique prendendo sua respiração
Você sabe que eu ainda não terminei
Ainda há espaço em mim para mais uma luta
Não fique gritando por aí
Que você está clamando a coroa
Eu caí, mas não estou fora ainda."

Birdy
Silhouette

Estávamos comemorando o aniversário da minha avó, quando recebi as mensagens de Luna. A minha reação foi ignorar e terminar de comer o meu pedaço de bolo. Tentei disfarçar até chegar em casa. Quando pedi a um amigo que pesquisasse o meu nome de várias formas naquele grupo, não sabia o que iria ver.

Recebi mais de quarenta *prints* mencionando o meu nome e utilizando as minhas fotos publicadas no Facebook. Comecei a ler e chorar. Mais uma vez, o Ensino Médio voltara. As ofensas verbais só pioravam. "Sapo-boi", "Satanás", "Como ela conseguiu esse cabelo liso?". Eu chequei mentalmente se tinha magoado algum deles, mas não consegui encontrar nada. Quebrei qualquer tipo de vínculo com a escola e com esses ex-colegas de turma. Continuei derramando quase uma poça de água.

— Calincka? O que foi? Me diga, vá! — minha mãe estava assustada.

— Eles voltaram — foi a única frase que consegui dizer antes de os soluços tomarem conta dos meus sentidos.

Articulei um modo para nunca encontrar os meus *bullies* em festas, filas de banco, festas comemorativas, lojas e até mesmo nos círculos de amizade. Eu utilizaria a miopia a meu favor, o jornalismo e os lugares para sair com meus amigos. Quando eu precisasse dançar, eu iria à única boate LGBT da cidade; para beber, compraria vinho barato e sentaria no chão da orla, onde ficaria com meus amigos para rir e gargalhar. Nunca precisei me sentir poderosa frequentando lugares caros ou acompanhando homens mais velhos que pagavam toda comanda, e o fato de não precisar mostrar poder à sociedade petrolinense me ajudou no meu maior pesadelo: ver o *bullying* acenando para mim.

Pensei que iria passar uma vida inteira sem saber do paradeiro dos ex-colegas do colégio. Estava enganada ao ler cada *print*. Eles sabiam como eu estava, onde trabalhava, que cursava Jornalismo, o estado do meu cabelo e o fato de militar politicamente e enaltecer o feminismo. Há algum tipo de regeneração para quem pratica *bullying*? Essa é uma pergunta que eu adoraria responder, dizendo que em todos os casos é possível. Ao ver o que estavam falando de mim num grupo com mais quarenta membros, questionei a mudança que o tempo proporciona. Por que cometer *bullying*? E praticá-lo dez anos depois é maduro? Poucos olham o obituário e se perguntam se foi por causa de uma doença, acidente ou suicídio.

Eu tinha alguns minutos para pensar com clareza se deveria me silenciar novamente, mas em momento algum passou por minha mente um pensamento suicida. Um sinal de que o dinheiro investido em terapia e tranquilizantes, finalmente, fazia efeito. Eu queria resolver da maneira mais justa possível e mostrar o quanto fui prejudicada da infância até a juventude. Contatei um advogado enquanto escrevia um texto. Eu tinha direito ao grito, nunca tive simpatia pelo silêncio. Fiz uma postagem no Facebook:

> *Antes de tudo eu quero dizer que conversei com uma pessoa muito competente e ela apoiou o que vou postar e contar.*
>
> *No Ensino Médio eu tive que me virar em três. Luto pela minha irmã, cuidar emocionalmente dos meus pais e tentar sobreviver às humilhações dos colegas de turma.*

Eu não era a garota bonita da escola. Era alvo para eles descontarem as frustrações deles. Dia após dia eu vivia um inferno repetitivo com apelidos, exclusão, gargalhadas maldosas e cochichos degradantes. Eu desenvolvi inseguranças, autoestima baixa e medo. Medo de nunca mais sair daquele lugar. Eu desenvolvi também pensamentos suicidas. Aos dezessete eu tentei me enforcar. Fui salva por minha mãe. Que segurou minhas pernas.

Os meninos me humilhavam constantemente com "Calincka é a menina mais feia da sala". Eu omitia por meus pais, por vergonha de dizer o que me falavam. "Ninguém vai querer você." Eu não sentia prazer em estudar. Eu não queria ir para a escola, mas também não poderia ficar em casa, porque o colégio era particular. Eu literalmente pagava para sofrer. Quando saí do Ensino Médio, foi um alívio. Fui para o cursinho e depois passei em Jornalismo na Uneb. Tudo ao meu redor mudou, mas eu ainda tenho as marcas de tudo o que aconteceu: eu sou insegura, não me arrisco, preciso da aprovação de outras pessoas, sou triste e escondo sendo engraçada. Eu também não me acho boa e bonita o bastante.

Eu estou escrevendo com muita tristeza porque o Ensino Médio voltou. Quase dez anos depois, o Ensino Médio me alcançou. Como? Semanas atrás eu fui convidada para participar de um grupo no WhatsApp com "a galera CDB". Eu recusei. Por todos os motivos eu recusei, porque eu não quero saber da vida deles e muito menos que saibam da minha. Ontem descobri que virei alvo de piada, pessoas que não me conhecem difamando a minha imagem. Difamando a minha personalidade e manchando mais uma vez a minha superação. Hoje eu não vou omitir. Eu irei até o final. NA JUSTIÇA DO HOMEM E NA MINHA. E não vou permitir que essas pessoas sejam vistas como "do bem", "boa mãe", "boa aluna", "bom pai"...

Sim. É mãe, pai, alunos, estudante de Direito... DIFA-
MANDO ALGUÉM QUE SACUDIU A POEIRA E
SEGUIU NO CAMINHO DO BEM. EU NÃO VOU ME
OMITIR, PORQUE EU NÃO TENHO MAIS DEZES-
SETE ANOS. EU NÃO ESTOU MAIS NO ENSINO
MÉDIO E NÃO ADMITO NENHUM ATO DE HUMI-
LHAÇÃO. *Eu trabalho, estudo e ainda utilizo o tempo livre para fazer e rir com a LOVE STORY CLAYTON, HE-MANA E ALGUNS POSTS COM A FINALIDADE DE FAZER MUITAS SORRIREM. Eu não vou me calar dessa vez! Eu não vou deixar que tirem de mim a paz e toda a confiança que conquistei. Eu não vou fazer a minha mãe segurar as minhas pernas ou pedir que meus amigos não tirem os olhos de mim. Eu vou lutar até o fim pela reparação do meu coração e da minha alma, que foram quebrados.*

Eu costurei o meu coração com sorrisos, coisas boas, amigos que amo, pais que me apoiam e vocês que mandam mensagens lindas. EU NÃO ME CALO. NUNCA MAIS.

A publicação teve mais de seis mil compartilhamentos quando o Facebook me bloqueou, por uma semana, ao ter o meu desabafo denunciado pelos *bullies*.

O meu grito foi publicado no domingo à noite, e na segunda-feira pela manhã eu estava com a minha mãe e dois advogados prestando queixa e fazendo o Boletim de Ocorrência (B. O.) por injúria e difamação. A todo momento a minha mãe se culpava na frente do escrivão.

— Eu sei que passou, Calincka. Gosto nem de lembrar que fui a uma delegacia. Fiquei triste e preocupada com você. Eu só pensava que quando a gente estivesse em casa você ia tentar mais alguma coisa, porque foi demais para você.

Preparei café para nós duas e sentamos no sofá para assistir ao programa de Sônia Abrão, mas a cada bloco eu perguntava à minha mãe sobre o dia em que fomos denunciar o crime tipificado como *cyberbullying* no qual eu era a vítima.

— Já pensou se você se mata? Seu pai não me perdoaria. Eu iria junto. *Homi*, não gosto nem de lembrar.

Eu entendo ela perfeitamente. Ainda é uma lembrança recente que envolve dias sem dormir, entrando e saindo da delegacia, dando entrevistas para jornais e telejornais da região. Eu jamais vou esquecer o recebimento da notícia, meu relato nas redes sociais, os *likes*, os compartilhamentos, os comentários e os milhares de mensagens que recebi de vários desconhecidos no Facebook, mostrando a verdadeira consequência do *bullying*. Há outro fato que não pode ser esquecido: os professores omissos se manifestaram tarde demais.

Eu fui a última a entrar e realmente não queria estar ali. Eles não olharam para mim, mas estavam me esperando. Quando um advogado começou a falar, eu cantei mentalmente "Faroeste Caboclo", da banda Legião Urbana, para me ajudar a suportar. Só voltei a minha atenção para a mediação quando sorriram. Na audiência de conciliação, os *bullies* só sorriam porque sabiam, orientados por seus advogados, que iriam pegar uma pena comunitária. E eu não iria facilitar para eles. Não haveria acordo.

CAPÍTULO 31
Enviados

"Porque você me faz sentir, você me faz sentir,
Você me faz sentir como
Uma mulher natural."

Aretha Franklin
A Natural Woman

A repercussão do meu relato fez com que várias pessoas desconhecidas entrassem em contato comigo para falar que estavam passando pelo mesmo ou simplesmente para me apoiar. Durante três meses recebi mensagens do país inteiro, e o que mais me alarmou foram os relatos de crianças negras que eram chamadas de "macacos" na frente dos próprios educadores. Recebi mensagens contando atos de abusos sexuais, verbais, agressões e *cyberbullying*.

Com o passar dos dias, entendi o motivo de receber aquelas mensagens. Eu falei por elas. E elas se sentiram representadas por mim. Há tantas histórias tristes de crianças que ainda estão no Ensino Fundamental e Ensino Médio que não sabemos como encorajar... ou dizer "Vai dar tudo certo". Mas de alguma maneira eu ajudei outras pessoas, desconhecidas, a levantar das ruínas que suas vidas se tornaram para se (re)erguer e não se render aos atos de preconceito e ao *bullying*. Eu faria esse relato mil vezes só por saber que algumas crianças, educadores e pais perceberam a periculosidade que filhos e alunos correm.

Fico orgulhosa a cada mensagem que recebo de crianças, ao falarem que conseguiram contar a pais, professores e mencionar aos *bullies* que estão cometendo um crime por causa da minha história. Eu apenas utilizei a minha liberdade de expressão, me libertei e expliquei para muita gente o motivo de eu tirar as fotos na mesma pose, não amarrar o cabelo nem cortar as pontas duplas, viver vinte e quatro horas maquiada e, por fim, estar sozinha.

Como eu explicaria a um desconhecido que não tocasse o meu cabelo ou não me tocasse?

No fim das contas, eu recebi mensagens e aplausos por ajudar algumas pessoas atormentadas pelo bullying e pelo preconceito. A Calincka do Ensino Médio percebeu que tem valor e é importante na vida de muitas pessoas. A quantidade de gritos em forma de mensagens que recebi não caberia na limitação de um único livro, mas escolhi uma mensagem para ilustrar como as agressões físicas e verbais afetam crianças e jovens.

Luiza Gabriela

Oi. Acho que é um pouco estranho receber uma mensagem do nada de uma pessoa que não conhece e que não começa com um diálogo normal com cumprimentos e sim com ela falando sua pequenina história. Bem, eu tenho quatorze anos e estou no último ano do Ensino Fundamental, sou uma aluna com boas notas sempre acima de 9 (valendo 10), mas esses três últimos anos têm sido um inferno, nestes últimos três anos eu tenho passado o mesmo que você passou, sendo o motivo de risos e piadinhas ridículas relacionadas com a aparência física. Com estas "brincadeiras" eu desenvolvi insegurança, medo, depressão, autoestima baixa e distúrbio alimentar, nunca contente com minha aparência e sempre querendo emagrecer para me sentir linda, já tendo ideias de suicídio mesmo com meus pais sempre me apoiando e me ajudando. Nesses últimos seis meses eu já melhorei muito, consegui apoio moral e ajuda, já me sinto melhor e mais feliz, mas ainda me sinto mal passando em frente de um espelho, mas como toda felicidade começa, ela termina em certo momento, minhas aulas voltaram, voltaram junto minhas decepções diárias, meus motivos para me sentir mal e para chorar. E quando achei que meu inferno iria piorar, li seu texto. Ele me encheu de determinação e fez uma pequena chama de esperança dentro de mim acender.

Por isso, obrigada, obrigada mesmo de coração, você fez eu me sentir mais viva e que eu não estou sozinha nessa, que eu posso dar a volta por cima e ainda ser feliz. Obrigada. Mesmo o seu texto sendo um pequeno pixel na imensidão que é a internet, você encorajou muitas pessoas e fez elas mudarem o rumo de suas vidas para melhor. Obrigada <3, espero que consiga se livrar de seus pesadelos que voltaram a te atormentar e que você tenha o final e o meio mais feliz de uma história que possa existir <3.

CAPÍTULO 32
Eu me pergunto como eles dormem à noite

"Então você acha que me conhece agora?
Se esqueceu como você me fazia sentir?
Quando você colocava o meu astral para baixo
Mas obrigado pela dor, isso me fez subir no jogo
E ainda estou subindo."

Jessie J
Who's Laughing Now?

Eu saí da sala chorando e meu professor da faculdade, André, ficou preocupado. Eu não acreditava que o meu grito havia chegado a uma emissora de TV. O produtor estava esperando eu acreditar que ele vira a publicação porque uma amiga tinha compartilhado.

— Calincka, me conte a sua história.

— Você é produtor da Globo mesmo?

— Sim, eu juro. Vou até te adicionar no Facebook.

Paino, responsável pela pauta do dia, pediu que eu contasse tudo e viu que havia mais do que tinha lido no compartilhamento pelas redes sociais. O algo a mais era a história da grade, o desmaio, a tortura psicológica e a quantidade de pensamentos suicidas. Eu chorei durante a ligação e entendi o motivo de não ter sido machucada gravemente durante um atropelamento alguns meses antes. Percebi que a emissora queria usar a minha história e eu iria aproveitá-la, também, para mandar um recado em rede nacional.

Recebi a solicitação de Paino e o aceitei na rede social. Embarquei às doze horas para o Rio de Janeiro. Iria participar do programa "Encontro com Fátima Bernardes" no dia seguinte. Eu conversava comigo mesma, mentalmente, elaborando um roteiro que os amigos me induziram a seguir. *Aproveitar a estadia no hotel chique, comer e beber tudo do frigobar, dormir sem medicamentos para acordar cedo, passar imagem de superação, divulgar o meu* blog, *ser extrovertida e tietar o escritor e poeta Fabrício Carpinejar*. Segui o roteiro direitinho, só esqueci uma coisa: o meu roupão de banho no hotel.

Recebi várias mensagens de amigos e dos advogados falando sobre a postura de alguns indivíduos que estavam sendo processados. Alguns me esnobaram nas redes sociais antes de assistirem à minha participação no programa. "Garanto que ela nem vai sair da plateia", "Só vai dar uma palavrinha", "Não vai deixar de ser feia."

Os comentários não me afetavam mais. Será que eles conseguiam dormir com a consciência pesada? O sono era tranquilo? Eu não saberei, mas quem está sorrindo agora sou eu.

Quando voltei a Petrolina, as pessoas me paravam para agradecer, mencionar a minha força e minha coragem e diziam que "a superação foi gravada em rede nacional". Eu voltei feliz, não por ser reconhecida nas ruas, mas por conseguir me livrar da vergonha que sentia do meu rosto e do meu corpo. Quando assinei o contrato de uso da imagem, percebi que estava sem pânico por ser observada. Mais um peso caiu das minhas costas, e ao chegar em minha casa percebi que a minha mãe não estava mais se culpando. No dia do programa, eu soltei muitas pérolas e um "Eu te amo, mainha. Não é sua culpa".

— Eu também te amo, minha filha. Você é o que restou da minha vida.

Foi assim que Ivone Crateús me recebeu.

CAPÍTULO 33
Percepção

> *"Eu hoje joguei tanta coisa fora*
> *Eu vi o meu passado passar por mim*
> *Cartas e fotografias, gente que foi embora*
> *A casa fica bem melhor assim."*
>
> **Os Paralamas do Sucesso**
> *Tendo a Lua*

Por causa do meu relato, fui convidada para dar palestras em escolas de Petrolina/PE e Juazeiro/BA. Aceitei todas, inclusive voltar para o meu ex-colégio, no qual sofri vários tipos de agressões, de cabeça erguida e com a mensagem de que uma caneta é que vai decidir o futuro daquelas crianças que conheci.

  Fiquei emocionada com alguns relatos e desabafos de crianças e jovens que já possuíam uma autoestima fragilizada ou a ausência dela. As crianças de uma escola pública ouvem com atenção e demonstram interesse em fazer perguntas e pedir soluções. No colégio particular, ao contrário, te olham como se você fosse um bobo da corte ou alguém que estivesse falando uma "língua élfica", como no filme *O Senhor dos Anéis* (2001).

  — Um agressor ou um praticante de *bullying* desenvolve uma postura de deboche, mas não separe o *bullying* da escola particular do da escola municipal — respondeu o meu psicólogo Paulo.

  — Eu estou melhor?

  — Quando estiver melhor, não precisará fazer essa pergunta. Você saberá, mas digamos que está quase lá.

  A primeira vez que fui ao psicólogo descobri que possuía transtornos psicossociais. Bulimia, fobia social, depressão, dependência de sedativos, pensamentos suicidas e sintomas somáticos. Não entendia o que eram alguns desses transtornos, mas ao pesquisar sobre o assunto tive acesso aos artigos de Aramis Lopes Neto, um pediatra que dedicou seu tempo a pesquisar e falar sobre *bullying* e *cyberbullying* no Brasil.

Lopes Neto me apresentou a alguns transtornos que eu possuo desde a infância. Desenvolvi a bulimia para perder peso rapidamente e não cair com o lanche na mão, porque os *bullies* sempre colocavam o pé para que eu pudesse tropeçar. Quando emagreço rapidamente, estou com Mia — como a bulimia é chamada entre as meninas que sofrem de transtornos alimentares — mas faz um bom tempo que aprendi a me aceitar e perder peso com saúde. Os pensamentos suicidas já possuíam uma moradia na minha mente e acabei, aos poucos, apresentando depressão e sintomas somáticos, desenvolvidos em sua maioria por pessoas que sofreram algum tipo de agressão ou abuso. As leituras serviram para eu perceber que as dores que ocorriam em meu corpo, em sua maioria, eram fruto do meu estado emocional que sempre foi extremamente frágil. Pegava um problema que poderia ser resolvido rapidamente para transformá-lo em uma "cruz", carregando-a por anos. O *bullying* na escola era a minha cruz, e eu optei por não a carregar nunca mais.

CAPÍTULO 34
Lentes

> "Menina você verá o mundo e aprenderá
> Que se apaixonar é uma estranha obra de arte
> Todas as suas batalhas vão moldar quem você é
> E saiba que suas cicatrizes são minha parte favorita
> Eu quero que você saiba disso."
>
> **SYML**
> *Girl*

Mudei de profissão em 2018. Fecharam-se muitas portas para mim em Petrolina/PE. Os meus currículos eram enviados com desesperança. Os pensamentos suicidas voltaram com o empurrãozinho do desemprego, mas eu resisti com muita força. Foi um ano difícil porque meu pai teve, em 2017, um acidente vascular cerebral (AVC) e esteve com o lado esquerdo do corpo paralisado. Eu precisava de um emprego e de dinheiro, mas nem uma janela aberta havia para mim. Um amigo pediu que eu pesquisasse na internet — do nada, mas para me salvar de mim mesma — o valor de uma câmera profissional. Pesquisei e mais tarde entendi que era para mim. Eu iria fotografar? Mas eu só sei tirar *selfies* com uma pose só — braço para trás, encolho a barriga, estufo o peito para valorizar o decote, e pronto —, para postar nas redes sociais. Estava mais perdida que as canetas que compro e não sei onde vão parar. O que eu iria fotografar?

    Lembrei-me do filme *O Labirinto do Fauno*, de Guillermo del Toro. No longa, a personagem Ofélia fala para o fauno "A porta está trancada", e ele responde "Nesse caso, crie a sua própria porta". Criei a minha e continuarei criando até brechas e vãos. Tornei-me uma fotógrafa pelo Estúdio Silva Nonata, em Petrolina/PE. Saí do curso com meu certificado e duas grandes amigas: Silvia e Jéssica. Me encontrei na fotografia, retratando mulheres lindas e fortes. Me vi apaixonada pelo preto e branco nas fotografias e pelo cotidiano de uma simples feira no meu novo bairro. Fotografo mulheres e feirantes do modo mais sensível e poético que consigo. Nunca imaginei que iria gastar tanto com lentes profissionais e subir e descer de coisas para achar o melhor ângulo.

    Meu coração acelera a cada elogio feito a meus retratos e ao meu trabalho. Aprendi a ser muito mais humana do que poderia ser, justa e leve com essa nova profissão. Eu carregava batalhas e o peso do mundo nas costas. Agora, carrego lentes e poesia dentro de mim. Não sei se posso dizer em voz alta que também faço arte, mas sei que já toquei muitos com o que faço. É questão de tempo para entender que tenho a capacidade de tudo o que eu quiser ser. A antiga Calincka sempre teve medo da luz do dia porque podia ser notada, mas agora ela aprecia cada feixe de luz. A vida é surpreendente.

CAPÍTULO 35
As mulheres que conheci

> *"Ei, querida*
> *O que você espera que eu diga?*
> *Eu poderia dizer-lhe que estou indo bem*
> *Mas, querida, eu não estou bem."*
>
> **Isaac Gracie**
> *Reverie*

O Setembro Amarelo é uma campanha de prevenção ao suicídio. Prevenir é evitar. Lancei a ideia, em setembro de 2019, de fotografar gratuitamente mulheres com depressão que já tentaram tirar a própria vida. Dentro da campanha que realizei, o acordo era contar as histórias e conversar para ganhar o ensaio fotográfico. Eu não sabia o que viria.

As histórias começaram a chegar, e a cada notificação eu pensava: *Calincka, você é doida*. E eu era, porque como eu iria fotografar sem me emocionar ao ver essas mulheres tão machucadas pela morte, pela submissão da prostituição, pela dor do marido e do irmão que tiraram a própria vida? A primeira coisa que fiz foi ir para a terapia, pois eu iria segurar histórias que não eram minhas. Precisei, também, de ajuda psicológica para saber como lidar ao vê-las e conversar. As histórias eram contadas apenas pelas redes sociais, então dava para lacrimejar sem elas saberem. No total eu fotografei dez mulheres lindas e cheias de amor. Aprendi muito com essa ideia e consegui dar um dia lindo e especial a elas.

A campanha chegou até uma maquiadora profissional, Carla, que se ofereceu para maquiar cada uma delas. Nos tornamos amigas e confidentes sobre nossas vidas. O que eu não sabia é que a maquiadora sabia da minha história por conhecer alguns dos meus agressores. Ela se surpreendeu com a campanha, com a doçura da minha mãe ao ser recebida na minha casa. O Universo é surpreendente. Eu posso rodar o mundo, mas ali ou aqui sempre encontrarei alguém que sabe ou viu o que passei em 2016. A história dos *prints* no grupo do WhatsApp não será esquecida, porque em cada canto há alguém sendo discriminado, humilhado, apelidado e agredido. É triste, mas é a realidade, se não combatermos com conscientização. Quantas crianças e adolescentes precisam morrer para que o *bullying* acabe?

CAPÍTULO 36
5 de novembro de 2019

> *"Siga o seu caminho*
> *Eu vou tomar o caminho mais longo ao redor*
> *Eu vou encontrar o meu próprio caminho*
> *Como eu deveria."*
>
> **Ben Howard**
> *Oats In The Water*

Os *likes* dela em minhas fotografias profissionais, no Instagram, foram como um soco na boca. Ela despertou a raiva e o ódio. Ela viu por tantas vezes o *bullying* acontecendo comigo — e até participou dele — para ir novamente à minha procura. Ela curtiu três fotografias e eu a bloqueei rapidamente, mas ela foi rápida o suficiente para pegar o meu número. A mensagem chegou no WhatsApp. Eu já sabia que era ela.

> **[20:07, 05/11/2019] +55 XX — XXXXX:**
> *Olá, Calincka, boa noite, tudo bem? Espero que sim. Aqui é Ana; um certo tempo atrás eu te procurei, não sei se chegou a ver minha msg. Se chegou a ver e não quis retornar, eu entendo. Mas hoje eu estou passando aqui novamente, pra te pedir perdão, me perdoe se no passado eu te machuquei. Hoje sou uma pessoa bem diferente daquela adolescente idiota, e imatura. Não quero ser invasiva, nem precisa manter vínculo tbm, depois do que vou te falar, mas queria o seu perdão, não consigo explicar, mas sempre em algum momento da minha vida algo me pedia pra eu te pedir perdão, pra eu te procurar, sei que o que passou foi bem doloroso, nada vai apagar, sei que foram feridas bem dolorosas e que talvez nada que eu fale aqui vá ajudar, nada que eu fale aqui vai fazer...*

Eu respirei fundo. Alguns minutos se passaram, e eu dissipei a raiva que senti. Li e reli antes de responder. Pensei em ficar em silêncio, mas ela tem uma filha. Precisa ser alertada sobre o fato de que ninguém é bom o bastante no mundo. O *bullying* vai encontrá-la mais cedo ou mais tarde. Ninguém escapa dele ou deixa de cometê-lo. Eu só espero que ele não a danifique como fez comigo.

[20:21, 05/11/2019] Calincka Crateús:

Oi, Ana. Eu te perdoei há muito tempo. Na verdade, eu nem deveria ter exigido de você alguma atitude. O que aconteceu foi grave. Muito grave. Envolveu minha saúde mental e minha família. Você não sabia que eu tinha muita tristeza do que fizeram comigo no colégio. Eu senti uma enorme tristeza quando vi você no grupo. É algo que não esperava. Mas, Ana, eu te perdoei. Não consigo lidar com as outras pessoas envolvidas. Hoje eu ajudo outras pessoas. Crianças e adolescentes sobre bullying *e automutilação. Que era o que acontecia comigo devido a tudo que tive que suportar. Estou em paz. Quero continuar assim. Fica com Deus você também. Cuida da tua filha e a proteja. Participe da vida dela na escola.*

Eu já a tinha perdoado, mas isso não significa que eu a queira em minha vida. Ou saber dela. Perdoei-a e a bloqueei.

CAPÍTULO 37
Sentença

"Por amor às causas perdidas
Tudo bem, até pode ser
Que os dragões sejam moinhos de vento
Muito prazer, ao seu dispor
Se for por amor às causas perdidas
Por amor às causas perdidas."

Engenheiros do Hawaii
Dom Quixote

Usava uma saia cinza e blazer preto. Coloquei o meu melhor sapato *doll* de salto alto e, pela primeira vez, amarrei o meu cabelo em um rabo de cavalo para observarem o meu rosto inteiro. Eu não iria me esconder através das madeixas. Iria fazer contato visual sem abaixar a cabeça ou me encolher com os ombros. A minha maquiagem era a mesma de sempre: olhos delineados, máscara para cílios e a boca pintada de vermelho. Olhei-me no reflexo dos vidros da minha janela mais uma vez e pensei: *Estou elegante e bonita.*

    Meu pensamento sobre como estava arrumada foi interrompido pela voz da minha mãe dizendo que iríamos nos atrasar. Meu pai me olhava triste e colocou na minha mão uma nota de cinquenta reais. Só eu consigo entender o que ele quer dizer quando faz isso. Sorri para ele e agradeci. Eu iria voltar logo. Esqueci algo! Perfume! Corri para o quarto andando como um pato, porque usava saltos. Minha mãe me gritou mais uma vez e eu corri para o carro. Não falávamos nada dentro do carro, cada um de nós (minha mãe, eu e o advogado) estava suspenso do chão. Por que eu fizera isso com eles? Senti a mão da minha mãe apertando a minha ao chegarmos ao local.

    Tentei imitar o modo como as atrizes fazem ao andar pelo tapete vermelho. Suspirei. Sabia que eu não seria a mesma ao sair daquele lugar. O Tribunal de Justiça de Petrolina é um pouco diferente daqueles de filmes hollywoodianos e séries que costumo assistir. Havia uma mesa central para o juiz e uma fileira de mesas do lado esquerdo e do lado direito. Sentei onde o meu advogado indicou e olhei para a minha mãe mais uma vez para confirmar se ela estava bem. Minhas mãos suavam, mas eu disfarcei assim que vi os ex-colegas do Ensino Médio chegando. Engraçado, dessa vez eles não estavam sorrindo. Notei a ausência da segurança e do deboche deles.

Quando o juiz entrou, todos levantaram. Inclusive as minhas testemunhas, Thailine e Hernandes. Ele sentou-se, desejou bom dia a todos e todas e organizou alguns papéis. Meu estômago embrulhou só com a sensação de ele achar que o processo era desinteressante ou desnecessário. Quando o juiz olhou para mim e pediu que eu levantasse, ouvi o barulho das portas se fechando e a sua pergunta:

— Calincka Crateús de Almeida, deseja falar algo antes de começarmos?

— Sim. Eu preciso falar algo — com as mãos trêmulas, abri o papel que estava segurando.

CAPÍTULO 38
Carta aberta a Camilla Crateús

Oi, minha irmã, você sabe o que está acontecendo? O Ensino Médio voltou. Eu fui tratada no Ensino Médio como se eu não devesse existir. Por não estar dentro do padrão de beleza da sociedade e dos colegas que estudaram comigo. Eu não podia dividir a minha dor com mainha e com painho porque eles estavam tentando recomeçar depois da sua partida.

Eu só queria contar, sabe? Eu queria que eles soubessem o que estavam fazendo comigo no colégio. O engraçado é que eles foram ao seu velório. A TURMA ESTEVE NO SEU VELÓRIO. Eles me abraçaram e rezaram um PAI-NOSSO segurando a minha mão. Eu não queria fazer nada disso, mas painho estava chorando e eu nunca o tinha visto chorar. Então eu pedi forças para conseguir ir até o final do seu enterro sem expulsar ou partir para a agressão física. Eu pensei em nossos pais e pensei que eles até me sedariam. Os anos seguintes me fizeram sentir inveja de você. Você estava em paz e eu também queria o mesmo. Eu queria sua paz eterna, eu precisava. Eu lanchava no banheiro e acho que você sabia. Todo dia levantava da cama para ir ao inferno na Terra e pensava: enterraram a filha errada. Todos os dias eu ouvia palavras degradantes e um dia eu decidi me enforcar. Não deu certo. Foi você que fez mainha voltar para pegar as chaves? Se sim, obrigada.

Eu passei a usar outra forma para sair do colégio. Eu não estudava. Talvez o professor de matemática ache que sou burra de verdade. E então me colocaram na "aula de reforço". VOCÊ É INSISTENTE, CAMILLA, AVE MARIA. QUE INSISTÊNCIA DE ME FORÇAR A TIRAR NOTA BOA. Obrigada. Eu também não falei nada porque eu não queria ser a "coitadinha". E NUNCA SEREI. Mas eu queria ser esquecida. O que eu fiz, Camilla? Por que a minha aparência incomodava tanto, Camilla? Nem em forma de desenho eu entenderei. Eu saí do Ensino Médio e chorei de alegria. Passei em Jornalismo em 2010 e mudei a minha aparência. Emagreci 25 kg. Mas ainda doía, sabe? Ainda era doloroso lembrar-me de pessoas às quais nunca humilhei. Eu substituí os pensamentos suicidas com a faculdade. Camilla, você acompanhou o meu relacionamento de quatro anos? Se sim, saiba que eu vivi aquela aventura por mim e por você. Mas saiba que reencontrei o seu namorado de adolescência. Ele está orgulhoso por minha coragem. E isto basta.

Quando o relacionamento acabou eu pensei que nunca mais iria ser amada. As inseguranças voltaram. E mais uma vez eu tentei pôr um fim à minha existência. Não por ele, mas por medo de ser verdade tudo o que me disseram no Ensino Médio. Eu superei com ajuda psicológica, dos amigos e dos familiares. Eu fiquei em paz, viva. Mas eu engordei, no final de 2014 e 2015, porque descobri ter tireoide. Eu sabia que não era minha culpa, e sim do meu corpo. E você sabe, Camilla, que não conseguia dar entrevistas, sair em fotos de corpo inteiro e arriscar a conhecer outras pessoas. Conhece meus amigos? Eles são lindos, trabalhadores, inteligentes e lutadores. Estão comigo, como você.

Eu não sabia que o Ensino Médio voltaria. Eu não sabia que teria que ler coisas horríveis a meu respeito, mais uma vez. O PASSADO ME FAZENDO ARQUITETAR MAIS UMA FORMA DE QUERER MORRER. Já havia um plano, Camilla. Quando li tudo, eu já tinha um plano. O DESABAFO NO MEU PERFIL ERA UM ADEUS. Eu não queria passar por aquilo novamente e estava tentando explicar o motivo. MAS VOCÊ CONSEGUIU QUE A PUBLICAÇÃO VIRALIZASSE E SAÍSSE DO MEU CONTROLE.

Vi-me amparada. Vi-me querida. Vi-me sendo apoiada e eu parei para refletir. Seria egoísmo, seria injusto acabar com a dor com tanto apoio e carinho. Seria anormal, doentio, incorreto e infeliz. Eu poderia punir os algozes tirando deles a reputação de "boa mãe", "boa aluna", "bom filho", "bom marido" e "bom amigo", continuando viva. Eu descobri que você burla todos os meus planos, não é? Você é a menina que roubava planos ruins. Obrigada. Agora eu cuidarei do meu corpo, mente e coração. O resto? Eu não me importo porque não há coisa pior que saber que não terei sobrinhos, que não terei você no meu casamento ou gritando meu nome no meio da plateia enquanto eu ergo o meu diploma, livro, filhos. O QUE FIZERAM COMIGO NÃO É NADA QUANDO PENSO QUE VOCÊ FOI EMBORA. Eu te amo. Eu ficarei viva e te prometo que todo o apoio que obtive será recompensado com a militância e ajudando outras pessoas. Eu te amo.

CAPÍTULO 39
Morte e vida para você

"Além do que os olhos podem ver
Mas mais perto do que o ar que eu respiro
Eu não preciso ver o fim
Para te seguir todo o caminho meu amigo
Porque seu amor me leva aonde eu quero ir."

Roo Panes
Where I Want To Go

O equilíbrio que sempre existirá no mundo e nas nossas vidas: morte e vida. Não falo só literalmente. Morremos várias vezes durante o nosso percurso, mas também nascemos. E há muita beleza nisso. Enquanto escrevo este capítulo, alguém acredita que tudo acabou ou que é hora de recomeçar. A balança pende para um lado e para o outro, sempre.

Meu caro leitor, eu sei que doeram em você alguns capítulos porque contei todas as dores de uma vida silenciosa e completamente secreta. Mascarada pela imagem que criei — fora e dentro da internet — para conseguir disfarçar as diversas cicatrizes que carrego e sempre carregarei. Doeu porque talvez você tenha passado pelo mesmo ou tenha feito algo com alguém do qual se arrepende. Se doeu, se te fez refletir, se arrepender ou entender que não há um problema em você, é porque há humanidade dentro de você. Há amor, esperança e força. Abri meu coração, abri feridas e caminhamos juntos até este final do livro. Mas não acabou por aqui para mim, nem para você. Estamos no agora, e nossa jornada só começou.

Cabe a nós decidir se seremos resistência em tempos de ódio gratuito ou gritos que ecoam em uma sala fechada. Quero também lembrar que estou e ficarei viva. Podemos sobreviver juntos e fazer da dor um relicário ou utilizá-la para o bem e ajudar outras pessoas. Caro leitor, obrigada por sentir a minha dor, felicidade e amor. Obrigada. Espero que existam mais recomeços, entrelinhas e reticências para você como existem para mim. Este livro não termina aqui. Ele perpetuará dentro de você. Porque o amor me leva para onde eu quero ir.

Achados e perdidos

Durante a produção deste livro perdi e achei algumas coisas.
    Achei a felicidade.
    Perdi o medo.
    Achei elogios.
    Perdi a culpa de não ter feito um relacionamento durar.
    Achei a autoestima.
    Perdi o apego pelo passado.
    Achei abraços apertados.
    Perdi a paciência com um grilo que cantava na madrugada enquanto eu escrevia.
    Achei o grilo.

A folha do grito

Esta página é sua. Aqui, você também pode gritar, recomeçar e continuar. Aqui, você decide o que fazer com a sua própria história.

Agradecimentos

Quem iria acreditar que voltei ao Ensino Médio para vivenciar as más lembranças? Quem me guiaria, segurando-me pela mão, para visitar cada cômodo de uma casa que eu nunca pensei em visitar? A casa que me assombrava sempre que algo dava errado. A casa que reunia os piores momentos da minha vida. A casa com cômodos decorados de omissão, tortura psicológica, agressões verbais e físicas. Quem entraria na casa e diria "Está tudo bem, essa casa não está mais em seu nome. Ela não é mais sua, ela foi abandonada por você"? Carla Paiva. Segurava uma lanterna e uma lamparina para assegurar que não ficaríamos no escuro e pudéssemos encontrar a saída. Obrigada, Carla, por ser mais que uma orientadora, por ser a minha psicóloga em alguns momentos, por compartilhar um pouco do seu passado, pelos conselhos e pelas risadas. Obrigada!

    Quero agradecer à minha mãe, Ivone Crateús, por ser a melhor amiga e companheira. Por ser a minha melhor torcedora e acreditar nos meus sonhos. Mãe, você é tudo pra mim. Obrigada por tentar sobreviver todos os dias por minha causa. Por me salvar e dizer que eu sou a pessoa mais importante da sua vida. Por enfrentar a vida depois da morte de uma filha, por profetizar que eu iria conseguir e por voltar a sorrir. Ah, obrigada por me dar, geneticamente, os olhos em formato de canoa. Quando passo o delineador, eles ficam lindos. Eu te amo. E não é pouco.

    Ao meu pai, João Bosco, que tem as mãos calejadas pelo trabalho rural para me dar o melhor e o possível. Por abrir a porta do meu quarto para ver se eu já tinha parado de chorar e adormecido. Obrigada por preparar o meu café da manhã, por nunca levantar a mão para me bater, mesmo nos momentos em que eu merecia, e por também acreditar nos meus sonhos. E pela calmaria que transmite no próprio silêncio. Eu te vi chorar uma única vez, e foi ali que meu coração terminou de estraçalhar. Eu te amo e não conseguiria viver sem seus olhos azuis me protegendo.

Quero agradecer à minha irmã, Camilla Crateús, que lutou arduamente contra o lúpus. A irmã que nunca me dará um abraço por esta nova etapa da minha vida. Agradeço por você ter existido, resistido, por ter amado nossos pais e por acreditar em mim na vida e na morte. Eu percebi os sinais, minha irmã. Eu percebi.

Agradeço às minhas famílias materna e paterna por me fazerem bem quando nos reunimos. Me calei por muito tempo para não preocupar vocês.

Agradeço aos meus amigos, cada um que me ajudou e me ama. Principalmente à Lícia Loltran por ter paciência, colocar os meus pés no chão, pela amizade e pela confiança. A Phablo Freire, por ter acreditado em mim até nos momentos em que duvidei de mim mesma. Por sempre me olhar com bons olhos, por colocar em minhas mãos minha primeira câmera profissional e dizer: "Você é capaz, Calincka, você sabe que é". Por ser a melhor companhia para dar gostosas gargalhadas, receber conselhos e refletir. Eu jamais esquecerei a "reunião" em que me disseram que eu deveria escrever em um *blog*. Você foi a primeira pessoa a acreditar em minha escrita (e depois em minha fotografia). A João Gabriel Britto, por segurar a minha mão nos momentos mais angustiantes que enfrentei. À Cris Pimentel que, mesmo no Pará, sabe o que dizer e como dizer. Por também me fazer rir e chorar. Por partilhar toda a sua força comigo depois de perder Luíza. Ela sempre será sua filha, Cris, e tenha a certeza de que ela te amou muito. E agora está eternizada nos meus agradecimentos. A Silvia Nonata e Jéssica Sinara. Jéssica, obrigada por entrar na minha vida por meio da fotografia. Caramba, às vezes o mundo não te merece porque você é boa demais para estar aqui. Sim, você é. À Mari, que se tornou e é uma das mulheres que admiro. Agradeço à minha família por parte de mãe e pai. Especialmente à Iracema Crateús, por ter despertado em mim a necessidade da escrita, a Tiago e Marina pelas palavras e silêncios que transmitem sabedoria. Aos professores da Universidade do Estado da Bahia (Uneb) em Juazeiro/BA. Todos os que puderam proporcionar e compartilhar o conhecimento. Ceres Santos, Carla Paiva, Andrea Santos e André Luis. Vocês fazem parte da Calincka que se libertou do Ensino Médio. Mostraram que jamais negariam ajuda aos alunos. Obrigada por não deixarem que eu generalizasse o descaso e a omissão de alguns professores na vida de um aluno.

Agradeço aos entrevistados pela disponibilidade, por compartilharem o passado e o presente com uma desconhecida. Em cada diálogo e encontro, vocês me transformavam. Mostraram que somos sobreviventes e que podemos mudar o que está ao nosso redor. Obrigada! Os laços, construídos durante as entrevistas, não serão quebrados.

Agradeço aos amigos virtuais e àqueles que me acompanham nas redes sociais. Obrigada pelas mensagens lindas e de apoio. Aos escritores José Saramago, Gabriel García Márquez e Clarice Lispector, por me inspirarem.

Esta obra foi composta em Mrs Eaves 11 pt e impressa em papel Pólen 80 g/m² pela gráfica Meta.